수의사의 생활법률

한두환 변호사·수의사 저

머리말

수의사 출신의 변호사로서 대한수의사회에 수의사의 생활법률 기고를 이어오고 있습니다. 법률 업무에서도 수의사에게 발생하는 법적 문제를 접할 기회가 많은 편인데, 그러한 경험을 바탕으로 기고글 중 적용가능성이 높고, 수의사분들이 궁금하실 만한 내용들을 선별·보완하였습니다. 선별·보완 작업을 하면서 동물 의료소송과 관련한 구체적인 사례를 더 다루지 못한 아쉬움이 남습니다.

다양한 사례를 동물 의료소송, 동물 진료, 동물병원 운영의 주제별로 묶어 구성하였습니다. 법률 내용을 가능한 이해가 쉽도록 풀어서 썼으며, 본서의 유사한 사례를 통해 혹시 발생할지 모를 법적 문제의 해결책을 찾는 데에 도움이 되길 바랍니다. 다만 본서의 사례는 전형적인 상황에서의 일반론이므로, 사안의 구체적이고 특별한 사항에 따라 최종적인 판단은 달라질 수 있습니다. 그러므로 당면한 사안이 있다면 본서를 참고로 하여 전문가와 상의하시는 것이 좋은 방법이 되리라 봅니다.

끝으로, 부족한 글을 실어주신 대한수의사회에 감사드리며, 언제나 힘이 되어주신 부모님과 가족들, 주님께 감사드립니다.

2023. 2.

한두환 변호사·수의사

목 차

i.
동물 의료소송 관련

ii.
동물 진료 관련

iii.
동물병원 운영 관련

i.
동물 의료소송 관련

수의사의 생활법률

I. 의료과실의 의의와 입증책임, 손해배상 항목

이동주씨는 자신의 반려견 순돌이가 다음, 다뇨에 식욕부진, 구토 증상을 보이자 김명의 수의사의 명의동물병원을 내원했다. 순돌이는 급성신부전을 앓고 있었고 혈청검사에서는 저알부민혈증, 방사선과 초음파 검사에서는 신장이 비대한 것이 나타났다. 하지만 공교롭게도 김명의 수의사는 이를 모두 놓치고 말았다. 그리고 구토가 있는 것만을 보고 흔한 급성 위염으로 진단하고 수액요법과 항구토제를 투여했을 뿐이었다. 그러는 사이 순돌이의 급성신부전은 점차 만성화되었으며, 이동주씨는 순돌이의 치료비로 총 100만원을 지출했다. 수회 치료를 받아도 순돌이의 증상이 개선되지 않자 이동주씨는 근처 박동기 수의사가 운영하는 동기동물병원을 찾았다. 박동기 수의사는 순돌이의 병명을 만성신부전으로 진단했다. 순돌이는 상태가 악화되어 기대수명이 2년 정도로 예상되었고 지속적인 고혈압 치료도 필요한 상황이었다. 박동기 수의사는 순돌이가 급성신부전을 제대로 치료받지 못한 것이 원인이라는 진료소견서를 작성해 주었다. 이동주씨는 김명의 수의사에게 손해배상을 청구하고 형사 고소도 하려고 한다.

김명의 수의사는 이동주씨에게 손해배상책임이 있을까? 손해배상책임 있다면 배상 항목은 무엇일까? 그리고 의료과실에 대한 형사책임도 져야할까?

오진 등 의료과실은 수의사로서는 가장 뼈아픈 일이지만 비슷한 임상증상들을 보고 정확한 병명을 진단하기란 여간 어려운 일이 아니다. 하지만 요즘의 보호자들은 의료지식도 상당하고 정보공유도 활발하다. 더욱이 인터넷 카페 등을 통해 의료사건에 체계적으로 대응하는 사례도 많아지고 있다. 그러다 보니 수의사들도 의료과실에 대한 책임에 미리 대비해야 할 필요가 더 커지고 있다.

1. 수의사의 의료과실의 기준은 무엇인가?

수의사에게 손해배상책임이 인정되기 위해서는 의료과실이 인정되어야 하는데, 여기서 의료과실의 기준은 무엇일까? 수의사의 의료과실이란 결과를 예견하고 회피할 수 있었음에도 불구하고 이를 예견하거나 회피하지 못한 경우를 말한다.

특히 오진이라 함은 특정 질병을 다른 질병으로 진단한 경우인데, 오진이라고 무조건 의료과실을 의미하는 것은 아니다. 물

론 오진으로 인해 환자의 병세가 악화되거나 사망하였다면 책임이 인정될 수 있으나, 질병을 정확하게 진단할 수 없었던 상당한 이유가 있는 경우라면 법적 책임에서 벗어날 수도 있는 것이다. 예를 들어, 보호자가 진단을 위한 검사 등에 제대로 협력하지 않은 경우나 현재 수의학의 임상학적 수준상 정확한 진단이 곤란한 경우, 질병의 증상에 영향을 미치는 예상할 수 없었던 특이체질인 경우 등은 수의사의 진단이 정확하지 않았다고 해서 그 책임을 물을 수는 없을 것이다. 또한 매우 희귀한 질병인 경우, 생명이 경각에 달린 사고에서의 구급상황인 경우 등 정확한 진단을 내리는 것을 기대하는 것이 상당하지 않다고 인정되는 경우도 있을 것이다. 이러한 경우라면 설령 오진이 있다고 하더라도 현실적인 수의학의 기술적 제한 때문에 이를 의료상의 과실로 인정하지 않는다.

그리고 과실 없이 진단이 내려진 이후에는, 수의사가 취할 수 있는 합리적인 것이라면, 어떠한 진료방법을 선택하느냐는 수의사의 재량에 속한다. 대법원은 2010다95635 판결 등에서, 수의사의 재량에 속하는 여러 진료방법 중 최선의 진료방법만이 정당한 것이고 다른 조치들은 의료과실이 되는 것은 아니라고 판단하였다.

김명의 수의사는 급성신부전의 가능성을 염두에 두고 혈청검사와 영상검사를 면밀히 관찰했어야 함에도 불구하고 이를 간과하여 급성신부전증을 급성위염으로 오진하였다. 그리고 그 진단 과정에 위에서 본 바와 같은, 정확한 진단을 내리는 것을

기대하기 어려운 사정은 보이지 않는다. 따라서 김명의 수의사의 경우는 오진에 따른 의료과실이 인정될 것이다.

2. 의료과실은 누가 증명해야 하는가?

우리 법제상 손해배상을 청구하는 원고가 피고인 수의사의 의료과실을 입증해야 한다. 즉, 보호자가 수의사가 오진을 했다거나 진료 과정에서 실수, 착오가 있었다는 점 등을 증명해야 한다.

하지만 의료행위는 고도의 전문적 지식을 요하는 분야로서 일반인의 입장에서는 그 내용을 이해하기가 난해하고, 진료행위 과정은 직접 담당한 수의사만이 온전히 알 수 있을 것이다. 그래서 완벽한 입증을 요구하는 것은 사실상 불가능에 가까운 일이므로, 법원은 인의(人醫)의 의료사건의 경우 원칙적으로 환자측이 의사에게 의료과실이 있음을 증명해야 하지만, 그 증명을 해야 하는 정도를 감경하고 있다. 환자측이 일반인의 상식에 바탕을 둔 의료상의 과실이 있는 의료행위가 있었음을 입증하고, 그 의료행위와 악결과 사이에 다른 행위가 개입되지 않았다는 점을 증명하면 그 부주의한 의료행위로 인하여 악결과가 발생하였음을 추정하는 것이다. 아직 수의사를 상대로 이러한 증명원칙을 명시적으로 밝힌 법원의 판결은 없었지만, 보호자가 어느 정도로 수의사의 의료과실을 증명해야 하는지가 중요한 쟁점이 되는 사건이 발생한다면, 법원은 역시 같은 태도

를 보일 것이다.

이동주씨가 김명의 수의사가 오진을 하였다는 점과 순돌이가 명의동물병원에 내원하기 전에는 만성신부전으로 진단받은 바가 없다는 점을 입증한다면 김명의 수의사의 의료과실은 인정될 수 있다. 그리고 이동주씨는 소송과정에서 김명의 수의사의 의료기록을 열람할 것을 법원에 청구할 수도 있다.

3. 의료과실에서 손해배상 항목

가. 이동주씨가 김명의 수의사에게 지불한 치료비

진료계약은 반드시 질병이 치료되지 않더라도 수의사가 위임받은 진료를 한 것으로 족하다. 그러므로 의료과실만으로 진료비를 무조건적으로 반환하는 것은 아니다. 하지만 김명의 수의사는 잘못된 진료를 하였고 이로 인해 이동주씨는 불필요한 치료비를 지급한 결과가 되었다. 그러므로 김명의 수의사는 치료비의 반환은 인정될 것이다.

나. 이동주씨가 앞으로 순돌이의 치료에 쓰게 될 치료비

김명의 수의사의 의료과실로 순돌이의 상태는 만성신부전으로 발전하였고, 고혈압치료 등 만성신부전과 관련한 치료를 꾸준히 받아야 한다. 이런 경우 순돌이의 향후 치료비는 김명의 수

14

의사의 의료과실로 인해서 지불해야 하는 손해로 인정될 것이다. 향후 치료비는 감정인 등 전문가에 의해 산정하는 경우가 많다.

다. 이동주씨에 대한 위자료

순돌이에게 만성신부전이 발생하였고 치료를 받아야 하는 것은 이동주씨의 정신적 손해로 인정되며, 따라서 김명의 수의사에게는 이동주씨에 대한 위자료가 인정된다.

그런데 위자료의 경우는 객관적인 액수가 정해지지 않은 것이 특징이다. 위의 이동주씨가 김명의 수의사에게 지불한 치료비나 앞으로 만성신부전에 지불할 치료비는 일정한 계산을 통해 일응 금액을 산정하지만, 정신적인 고통은 객관적 수치로 정하기 어렵다. 그래서 위자료의 경우는 법원이 제반 사정을 종합적으로 고려하여 사회통념상의 적정한 선에서 위자료액을 정할 수밖에 없다. 대법원은 84다카722 판결 등에서, 얼마를 위자료액으로 정할지는 법원의 재량이며, 객관적으로 계산할 수 있는 손해배상액이 증명이 어려워서 너무 적게 나오는 경우는 법원이 위자료를 일반적인 경우보다 더 많이 책정하는 것도 가능하다고 하였다.

4. 의료과실에 대한 형사책임

이동주씨는 김명의 수의사를 고소하려 하는데 김명의 수의사의 의료과실은 형법상 죄에 해당할까? 우선 한 가지 짚어야 할 점은 반려동물은 보호자와 정서적 교감을 하는 주체라고 하더라도 법률적으로는 '물건'에 해당한다는 것이다. 법률은 모든 대상을 '사람'과 '물건'으로만 구분하기 때문이다. 다만 최근 동물에 대해 '물건'이 아닌 제3의 법적 지위를 인정하려는 움직임이 있으나 아직 입법되지 않았고, 입법이 이루어지더라도 물건에 준하여 법률 적용을 받는다.

그리고 물건을 훼손하는 경우에는 [형법] 제366조의 재물손괴죄가 적용된다. 사람에 대한 의료과실은 사람에게 사망 또는 상해를 야기한 것이므로 업무상 과실치사 또는 업무상 과실치상이 되는 것과 차이가 있다. 그런데 업무상 과실치사 또는 업무상 과실치상은 고의가 아닌 과실에 의한 경우라도 처벌 대상인 반면, 재물손괴죄는 과실에 의한 경우는 처벌되지 않고 고의에 의한 경우만 처벌 대상이다. 그러므로 동물에 대한 의료사고는 형법상 죄가 되지 않는다. 그러므로 이동주씨는 김명의 수의사를 고소할 수 없다.

2. 필요한 검사를 하지 않은 경우의 의료과실 여부

김명의 수의사의 명의동물병원에 이동주씨가 반려견 순돌이를 데리고 내원하였다. 토이 품종으로 1년령인 순돌이는 경부에 통증을 나타냈다. 방사선 촬영에서 1번 경추와 2번 경추 사이가 다소 멀어진 것을 발견한 김명의 수의사는 환축추아탈구를 의심하고 이동주씨에게 MRI 촬영을 제안하였다. 하지만 이동주씨는 MRI 촬영에 많은 비용이 드는 것을 우려하여 응하지 않았다. 김명의 수의사는 순돌이에게 통증 감소를 위한 약물처치만을 하였으나 약물 요법의 효과는 오래가지 않았다. 결국 순돌이는 신경증상이 심화하여 호흡곤란이 발생하였고, 호흡곤란이 원인이 되어 사망하였다.

이동주씨는 김명의 수의사가 환축추아탈구를 인지하고도 적절한 처치를 하지 않았다며 순돌이의 사망에 대한 위자료를 청구하였다. 김명의 수의사는 의료과실의 책임이 있을까?

김명의 수의사의 의료과실 여부를 판단하기 위해서는 보호자

가 필요한 검사를 거부하여 환자가 사망한 경우에도, 사망 당시까지의 진료기록에 근거하여 수의사의 과실을 인정할 수 있는지 여부가 문제된다.

 우선 과실의 개념은 질병 치료 등 특정한 결과를 얻지 못한 것이 아니라 당사자가 처한 상황에서 필요한 주의의무를 다하지 않은 것을 의미한다. 즉 과실을 판단하기 위해서는 그 전제로서 수의사가 처해진 상황이 어떠했는지를 판단하여야 한다. 김명의 수의사의 과실 여부를 판단하기 위해서는, 환축추아탈구의 진단에 필요한 MRI 검사를 하지 못한 상황에서 김명의 수의사가 순돌이의 환축추아탈구를 알 수 있었는지 여부를 살펴야 한다. 김명의 수의사는 진단에 필요한 MRI 정보가 제공되지 않아서 환축추아탈구를 확실히 인지하기 어려운 상황이었고, 그러한 상황에서 순돌이에 대해 외과적 처치를 하지 않은 것에는 의료과실이 인정되지 않는다.

 즉, 진료를 한 동물이 사망 또는 장해가 발생하였다고 모두 의료과실에 해당하는 것은 아니다. 의료과실 여부를 판단하기 위해서는 그 전제로서 당시 어떠한 진료 환경이었는지, 즉 환자의 사망 또는 상해의 결과를 예측할 수 있는 상황이었는지 여부를 살펴야 한다.

3. 진료부에 기록이 부족한 경우의 영향

명의동물병원의 김명의 수의사는 이동주씨의 반려견 순돌이에게 심장수술을 하였고, 순돌이의 진정상태를 유지시키며 입원을 하게 하였다. 순돌이는 외견상으로는 큰 이상은 없었으나 동맥혈산소분압이나 산소포화도가 다소 낮아지는 것이 발견되었다. 김명의 수의사는 순돌이가 저산소증이 있을 것으로 의심하였고, 저산소성 뇌손상을 염두에 두고 진료를 계속하였다. 김명의 수의사는 주기적으로 순돌이의 심전도와 혈압, 산소포화도 등을 검사하였으며, 상황이 악화될 때면 수시로 수혈과 산소요법을 수행하였다. 하지만 김명의 수의사는 대수롭지 않게 여기고 검사한 심전도, 혈압, 산소포화도 등의 검사결과나 처치 내역을 진료기록부에 기록해놓지는 않았다. 그러던 중 순돌이가 발작 증상을 보이기 시작하자, 이동주씨는 순돌이를 인근의 박동기 수의사의 동기동물병원으로 옮겨 진료를 받겠다고 하였다. 박동기 수의사는 이동주씨에게 순돌이가 저산소성 뇌손상이 의심된다며 MRI 촬영을 권유하였다. 그리고 MRI 결과 순돌이는 뇌가 전반적으로 손상된 것으로 나타났다.

이동주씨는 김명의 수의사가 순돌이의 저산소증을 발견하

지 못하여 뇌손상까지 입고 발작 증세를 보였다며 손해배상
을 청구하였다.

1. 의료과실의 기준

의료과실이란 보호자가 요청한 치료의 결과를 얻지 못한 것이
아니라, 수의사가 주어진 환경에서 수의학적으로 적절한 주의
의무를 다하였는지 여부가 기준이다. 대법원 역시 2002다3822
판결 등에서, 주의의무는 의료행위를 할 당시 임상의학분야에
서 실천되고 있는 의료행위 수준을 기준으로 판단하여야 한다
고 판시하였다.

그러므로 순돌이에게 기존에 없던 저산소성 뇌손상이 새로이
발생하였다고 하더라도, 김명의 수의사가 순돌이의 초기 임상
증상에 대하여 적절한 처치를 하였다면 순돌이가 나중에 저산
소성 뇌손상으로 발작 증상이 나타났다고 하더라도 의료과실이
인정되는 것은 아니다. 그리고 김명의 수의사는 순돌이가 산소
포화도가 낮아진 것을 발견한 후부터는 저산소성 뇌손상 등 다
양한 가능성을 염두에 두고 수혈과 산소요법 등의 처치를 하였
으므로 일응 순돌이의 임상증상에 대하여 적절한 처치를 하였
다고 할 것이다.

2. 의료과실의 입증책임과 추정

 의료소송에서 원칙적으로는 환자측에서 수의사가 어떤 과실이 있었고 그로 인하여 환자측이 어느 정도의 손해를 입었는지에 대한 입증책임을 부담한다. 다만 이러한 원칙만을 고수하는 것은 환자측의 손해배상청구를 사실상 불가능하게 만드는 결과가 될 것이므로, 판례는 특별한 경우는 의료과실과 후유증의 인과관계를 추정하는 등 예외를 인정하고 있다. 그렇다면 진료기록부에 환자의 임상징후나 그에 따른 처치가 기재되어 있지 않은 경우는 어떨까?

 순돌이는 MRI 촬영 결과 뇌 전반에 걸쳐 손상이 있었으므로, 혈관폐색이 아니라 저산소증에 의하여 뇌손상을 입었다고 판단될 것이다. 그리고 이와 유사한 사안에서 대법원은 2007다80657 판결에서, 뇌손상과 같이 어떤 질병이 있었던 것이 확인된다면 환자에게 해당 질병의 원인을 시사하는 임상징후가 있었을 것을 추정하였고, 진료기록에 임상징후에 맞는 치료 내역이 기재되어 있지 않다면 적절한 치료가 이루어지지 못한 것을 추정하여 판단하였다. 즉 MRI 촬영을 통하여 순돌이에게 저산소성 뇌손상이 있었음이 확인된다면, 저산소성 뇌손상에 이르기 전에 산소 감소를 시사하는 심전도, 혈압, 산소포화도 이상 등이 있었을 것으로 추정하는 것이고, 심전도 이상 등 임상증상에 맞는 처치 내역이 진료기록에 기재되어 있지 않다면 김명의 수의사가 적절한 처치를 하지 않았다고 추정하는 것이

다.

 그런 경우 김명의 수의사는 순돌이의 저산소성 뇌손상이 예외적으로 심전도 이상 등 임상징후를 나타내지 않았다는 점을 입증하거나, 김명의 수의사가 순돌이의 임상징후를 발견하여 적절한 처치를 하였다는 점을 입증해야 한다. 김명의 수의사는 실제 심전도 이상 등을 세심히 살피면서 적절한 처치를 하였으나, 진료기록부에 기재를 누락하였다면 다른 방법으로 이를 입증하는 것은 현실적으로 쉽지 않은 일일 것이다. 그리고 입증을 하지 못한다면 김명의 수의사는 과실 없이 진료를 하였더라도 배상책임을 부담하게 된다.

 진료기록부는 수의사가 환자의 상태와 치료 경과를 기록하여 계속되는 치료에 이용하는 것뿐만 아니라 의료행위의 종료 후에는 그 의료행위의 적정성을 판단하는 자료로서의 의미를 갖는다. 이러한 취지로 수의사법에서도 수의사에게 진료기록부 작성 의무를 부과하고 있으며, 진료기록부가 작성되면 사후에 변조되었음이 객관적으로 입증되지 않는 한 법원에서도 주요한 판단 자료로 활용하고 있다.

4. 응급진료와 전원의무

김명의 수의사는 24시간 진료하는 명의동물병원을 운영하고 있다. 김명의 수의사는 낮에는 정상적으로 진료를 보고, 밤에는 인턴 수의사 등이 번갈아 당직을 서는 방식으로 운영하였다. 이동주씨는 반려견 순돌이를 데리고 새벽에 명의동물병원에 내원하였다. 이동주씨는 당직을 서던 박미숙 수의사에게 순돌이가 교통사고를 당하였으니 서둘러 치료를 해달라고 요청하였다. 순돌이는 고개를 길게 빼고 숨을 가쁘고 몰아쉬었고 많은 양의 객혈을 하였다. 박미숙 수의사의 청진 결과 중증의 폐좌상이 의심되었으며, 순돌이는 의식도 불명한 상태가 되어 양압환기가 필요하다고 판단되었다. 하지만 명의동물병원의 양압환기시스템은 마침 고장으로 제대로 작동되지 않았고, 인근에는 양압환기시스템을 갖춘 2차 동물병원이 있었다.

박미숙 수의사는 기관지확장제를 투여하는 등의 처치를 하였으나 순돌이는 호흡곤란으로 결국 사망하였다. 이동주씨는 김명의 수의사와 박미숙 수의사에게 순돌이의 사망에 대해 추궁하였고, 박미숙 수의사는 주어진 상황에서 최선을 다한 것이므로 책임이 없다고 항변하였다.

순돌이는 의식이 없고 기도가 유지되지 않은 상태라서 양압환기 처치가 필요하였으나, 당시 명의동물병원의 상황은 순돌이에게 양압환기 처치를 할 수 없는 상황이었다. 이와 같이 응급진료를 하여야 하나 주어진 여건이 제대로 응급진료를 할 수는 없는 경우, 주어진 여건에서 최선을 다하는 것으로 응급진료를 성실히 한 것으로 인정되는지, 그렇지 않다면 박미숙 수의사와 김명의 수의사에게 의료과실을 인정할 수 있는지가 문제된다.

1. 의료과실의 기준

명의동물병원은 김명의 수의사가 운영하고 있지만 순돌이를 직접 진료한 사람은 박미숙 수의사이다. 그러므로 순돌이에 대한 의료과실 여부는 박미숙 수의사를 기준으로 판단하여야 한다.

한편 의료과실이란 질병의 치료 등 보호자가 의뢰한 결과를 얻지 못한 것이 아니라 수의사가 처한 상황에서 필요한 주의의무를 다하지 않은 것을 말한다. 박미숙 수의사의 의료과실 여부도 박미숙 수의사가 양압환기시스템을 갖추지 못한 여건에서 주의의무 위반이 있었는지를 기준으로 판단하여야 한다.

박미숙 수의사는 폐좌상을 입은 순돌이에게 기관지확장제 등을 투여하였으며, 그 처치 자체에는 과실이 인정되지 않는다. 다만 박미숙 수의사가 순돌이를 다른 병원에 전원시켜서 다른 병원에서 양압환기 등 적절한 치료를 받도록 하여야 할 의무가

있었는지가 문제된다.

2. 전원의무

 전원의무란 진료를 의뢰받은 수의사가 자신의 능력이나 설비의 부족 등으로 적절한 진료를 할 수 없을 때에 환자를 적절한 다른 의료기관으로 전원해야 할 의무를 말한다. 전원의무는 [수의사법]과 같은 법률에서 구체적으로 규정하고 있는 것은 아니지만, 판례상 의사가 환자를 진료하면서 수반되는 주의의무의 일환으로 인정하고 있으며, 판례의 법리를 수의사에게 적용하는 경우 의사와 마찬가지로 수의사에게도 인정되는 의무이다.

 이러한 전원의무가 발생하기 위한 요건은 ① 진료를 의뢰받은 동물병원의 인적 또는 물적 설비가 미비한 상태여야 하고, ② 대체하여 적절한 진료를 할 수 있는 타 동물병원이 이동 가능한 범위 내에 존재해야 하며, ③ 환자가 전원을 감당할 수 있는 상태여야 한다.

 박미숙 수의사의 경우 위와 같은 각 요건이 인정되어 전원의무가 발생하였음에도 불구하고, 부족한 여건에서 진료를 계속하였다. 비록 박미숙 수의사의 진료 내용이 주어진 환경에서 적절하였다 하더라도 전원의무를 소홀히 한 과실이 인정되는 것이다.

 대법원 역시 2005다16713 판결 등에서, 전원의무를 소홀히

한 경우 의사의 과실을 인정한 바 있으며, 이는 수의사에게도 동일하게 인정되는 내용이다.

3. 전원할 수 없는 상태라면

가령 순돌이가 전원을 할 수 없을 만큼 위급한 상황이었거나, 순돌이가 이동할 수 있는 범위 내의 다른 동물병원들도 모두 양압환기를 할 수 없는 경우와 같이, 순돌이를 전원 시킬 수 없었던 상황이라면 박미숙 수의사의 처치를 어떻게 보아야 할까?

전원의무가 없다면 수의사는 비록 설비가 충분하지 않더라도, 주어진 여건에서 최대한 환자를 진료할 의무를 부담한다. [수의사법]은 제11조에서 수의사는 정당한 사유 없이 동물의 진료를 거부할 수 없도록 규정하고 있다. 전원을 할 수 없는 상황에서는 비록 환자에게 필요한 모든 진료를 제공하지는 못하더라도 진료를 거부할 수 없는 것이다.

그리고 담당 수의사는 주어진 여건에서 성실히 진료를 하는 것으로 진료의무를 다한 것이고, 성실한 진료가 있었다면 환자가 사망한 경우라도 의료과실이 인정되는 것은 아니다.

4. 김명의 수의사의 사용자책임

위와 같이 박미숙 수의사는 전원의무를 위반한 과실이 있다.

고용수의사가 업무와 관련하여 책임을 지게 되는 경우는, 그 사용자도 보호자에게 동일한 책임을 부담한다. 이를 '사용자책임'이라 하며, 고용관계의 경우에 인정되는 특별한 내용이다. 그러므로 김명의 수의사도 박미숙 수의사와 동일하게 이동주씨에 대한 배상책임을 지게 되며, 이동주씨는 김명의 수의사와 박미숙 수의사 중 선택적으로 배상청구를 할 수 있다.

5. 전원 요청에 따른 필요한 조치

이동주씨의 반려견 순돌이는 교통사고를 당하고 사고현장에서 가까운 김명의 수의사의 명의동물병원에 내원하였다. 김명의 수의사는 흉부와 복부 방사선 촬영을 하였고, 방사선 촬영 결과 횡경막하 복강 내에 장 안의 가스가 장 밖으로 나와 생기는 유리가스가 관찰되었다. 김명의 수의사는 다른 장기의 동반 손상 여부 등을 확인하기 위해 혈관조영제를 사용하여 CT 촬영을 실시하였으며, 비장에 가느다란 검은 선이 관찰되어 비장 손상이 의심되었다.

김명의 수의사는 이동주씨에게 순돌이가 장파열이 된 것 같아 수술을 해야 한다고 하였다. 하지만 이동주씨는 집과 가까운 병원에서 수술을 받았으면 좋겠다고 하면서, 이동주씨가 평소 자주 다니던, 자동차로 1시간 거리의 단골동물병원으로 이송해줄 것을 요청하였다. 김명의 수의사는 순돌이에게 비장 손상의 의심이 있음에도 이송 도중 상태가 크게 악화되지는 않을 것이라 만연히 생각하고 다른 병원으로 옮기는 것에 동의하였다.

김명의 수의사는 순돌이에게 별다른 조치는 하지 않고, 전원소견서에 흉부 방사선 촬영상 유리공기가 보이며, 복부단

층촬영에서 비장파열이 의심된다는 내용을 기재하여, 이동 주씨로 하여금 순돌이를 단골동물병원으로 이송하게 하였다. 하지만 후송 도중 순돌이는 장파열 및 복강내출혈 등으로 인한 허혈성 쇼크로 사망하고 말았다.

내원을 받은 병원에서 충분한 물적·인적 설비를 갖추지 않았음에도 불구하고 전원조치를 하지 않은 경우은 전원의무 위반의 과실책임이 인정될 수 있다. 이와 반대로 적절하지 않은 전원조치의 경우 발생할 수 있는 책임은 무엇이며, 보호자의 부적절한 전원 요청의 대응 조치는 무엇일까?

1. 전원의무의 내용

전원의무가 발생하기 위한 요건은 ① 진료를 의뢰받은 동물병원의 인적 또는 물적 설비가 미비한 상태여야 하고, ② 대체하여 적절한 진료를 할 수 있는 타 동물병원이 이동 가능한 범위 내에 존재해야 하며, ③ 환자가 전원을 감당할 수 있는 상태여야 한다. 그리고 전원의무가 있음에도 불구하고, 전원 조치를 하지 않고 무리한 치료를 하는 경우는 전원의무를 위배한 의료 과실책임이 인정된다.

순돌이는 전원 도중 허혈성 쇼크로 사망하였고, 당시 유리가스와 비장 손상 등에 비추어 순돌이는 전원을 감당할 수 있는 상태가 아니었다고 하겠다. 이와 같이 환자가 전원을 감당할 수 없는 경우 담당수의사는 보호자가 전원을 요청해도 무조건적으로 환자를 치료할 의무가 있는 것일까? 아니면 전원 요청에 응해야만 하는 것일까?

환자의 보호자는 치료를 받을 것인지 여부를 선택할 수 있는데, 이와 같은 진료선택권은 헌법상 인정되는 자기결정권에서 파생하는 권리이다. 즉, 동물학대 문제는 별론으로 하되, 이동주씨에게는 순돌이의 진료를 거부할 수 있는 권리와 명의동물병원에서 진료를 받지 않을 권리도 인정된다. 그러므로 이동주씨가 명의동물병원에서 진료를 받는 것을 거부하고 다른 동물병원으로 옮기는 것은 이동주씨의 선택에 따라 결정될 일이며, 김명의 수의사가 순돌이의 치료를 강제할 수는 없다.

2. 김명의 수의사의 과실 내용

김명의 수의사는 순돌이의 상태의 심각성을 만연히 생각하고 이동주씨의 전원요청에 그대로 따른 과실이 있는데, 그 과실의 구체적인 내용은 무엇일까?

가. 전원 가능성 판단상의 과실

위 전원의무의 성립요건에 대한 판단을 하는 주체는 담당수의
사이다. 특히 환자가 전원을 감당할 수 없음에도 불구하고, 담
당수의사가 만연히 상태가 악화되지 않을 것으로 판단하였다
면, 그와 같은 판단에 담당수의사의 과실이 인정되는 것이다.

사안과 같은 경우, 비장은 혈관이 많고 취약한 기관이라 다량
의 출혈을 일으켜 조기진단과 치료가 중요하다. 명의동물병원
은 인적 또는 물적 설비가 미비한 상태였다고 볼 수 없으며,
환자인 순돌이가 전원을 감당할 수 있는 상태가 아니었다. 즉,
김명의 수의사는 순돌이에 대하여 전원의무가 인정되지 않은
상태에서, 이동주씨의 요청으로 적절한 조치없이 전원을 한 결
과 순돌이가 사망하였으므로 의료과실이 인정될 수 있다.

나. 설명의무 미이행

수의사에게는 설명의무가 인정되는데, 수의사는 보호자에게
환자의 상태와 필요한 치료 등에 대하여 설명할 의무가 있다.
김명의 수의사 역시 이동주씨에게 순돌이가 비장 손상이 의심
되며, 급히 치료가 필요하다는 사정 등에 대하여 설명을 하였
어야 한다.

만일 그러한 설명을 들었음에도 불구하고 이동주씨가 명의동
물병원에서의 치료를 거부한다면, 김명의 수의사는 순돌이를
전원시킬 수밖에 없으므로 전원 자체에는 과실이 인정되지 않
을 것이다.

다. 적절한 전원 조치의 미이행

이와 같이 순돌이에 대한 설명의무를 이행한 후 전원을 하더라도, 전원 과정상의 적절한 조치는 해야 한다. 비장 손상의 경우 전원 도중 허혈성 쇼크 및 심폐기능 장애 등이 발생할 수 있으므로 수액공급과 심폐기능이 유지되도록 하면서 전원을 하는 것이 바람직하다. 그러므로 김명의 수의사도 순돌이에게 링거액 처치 및 수혈 처치 등을 하고 전원을 시켰어야 할 주의의무가 있으나 이를 이행하지 않은 부분은 과실이 인정될 수 있는 것이다.

3. 전원의무가 없는 경우의 전원 요청에 대한 조치

김명의 수의사에게 전원의무가 없는 상태에서 이동주씨는 순돌이의 전원을 요청하였다. 김명의 수의사가 이동주씨의 전원 요청에 과실없이 대응할 수 있는 방법은 무엇이었을까?

이를 위해서는 위에서 살펴본 김명의 수의사의 과실의 내용을 모두 이행하여야 할 것이다. 즉, 이동주씨에게 순돌이의 상태 및 필요한 처치를 설명하고, 그럼에도 불구하고 이동주씨가 전원을 요청한다면 링거액과 수혈 처치 등을 하면서 전원을 시켰어야 한다. 만일 이동주씨가 전원 과정 중의 수혈 처치 등도 거부한다면 이는 이동주씨의 선택에 따른 것이므로 김명의 수의사에게 과실은 인정되지 않을 것이다.

4. 과실상계와 책임범위

김명의 수의사는 비록 이동주씨의 전원 요청에 따라 순돌이를
전원시킨 것이었지만, 전원 과정에서 과실이 인정될 수 있다.
다만 순돌이의 전원은 이동주씨가 요청한 것으로서, 이동주씨
의 과실도 순돌이의 사망에 원인을 제공한 것이므로 과실상계
에 의해 상당부분이 감경될 것이다.

6. 인턴 수의사의 응급조치

김명의 수의사의 명의동물병원은 24시간 응급진료를 하고 있다. 야간에는 인턴 수의사가 교대로 당직을 서면서 진료를 보았다. 김명의 수의사는 당직 수의사들에게, 야간 환자 중 비교적 간단한 케이스는 보존적 치료를 하고, 응급수술이 필요한 경우라면 김명의 수의사에게 연락을 하도록 하였다.

하루는 이동주씨가 반려견 순돌이가 야간에 교통사고를 당하였다고 하여 명의동물병원에 전화를 하였다. 바로 명의동물병원에 내원해도 되는지 문의하기 위해서였다. 명의동물병원의 당직을 서고 있던 박미숙 인턴 수의사는 순돌이의 상태가 위급하리라 생각지 못하고 진료가 가능하니 내원하라고 안내하였다. 하지만 명의동물병원에 도착한 순돌이는 심각한 폐좌상으로 매우 위급한 상태였다. 위급 환자를 치료한 경험이 없던 박미숙 인턴 수의사는 당황한 나머지 김명의 수의사에게 서둘러 와달라고 전화를 하고는, 이동주씨에게 김명의 수의사가 곧 도착하니 기다려달라고 하였다. 김명의 수의사가 오는 사이 순돌이는 급격히 호흡곤란이 악화되어 사망하고 말았다.

한편 이튿날 최견주씨는 반려견 순심이가 호흡곤란이 발생하였다면서 급히 명의동물병원에 내원하였다. 박미숙 인턴 수의사는 역시 김명의 수의사를 호출하는 한편, 순심이에 대해 대증요법으로서 기관지확장제인 아미노피린을 투여하였다. 그런데 당시 워낙 응급한 상황이라 순심이가 평소 심장질환이 있었음을 고지받지 못한 상태였다. 그리고 순심이는 아미노피린의 부정맥 부작용으로 사망하고 말았다.

박미숙 인턴 수의사는 순돌이에 대해서는 자신의 처치가 미숙할 것을 인지하고 김명의 수의사를 호출하고 응급조치를 취하지 않던 중 사망하게 되었고, 순심이에 대해서는 호흡곤란에 대해 아미노피린을 투여하였는데 이 부작용으로 사망하게 되었다. 각 경우와 유사한 사례에 대하여 법원은 어떻게 판단하였는지를 구체적으로 살펴보자.

1. 순돌이에 대한 응급처치 지연

박미숙 인턴 수의사는 순돌이의 폐좌상을 제대로 치료할 경험이 부족하였으며 이는 초임 수의사에게는 피치 못할 사정일 수 있다. 그리고 진료에 미숙한 박미숙 인턴 수의사가 김명의 수

의사에게 도움을 청하는 것은 어찌보면 나름 최선의 방법이었을 수도 있다. 하지만 응급 상황에서 김명의 수의사가 도착하기를 기다리고 처치를 하지 않은 점은 문제가 될 수 있다.

대법원은 이와 유사하게 당직 의사였던 일반외과 의사가 산부인과 응급진료가 필요한 환자에 대하여 전문의를 호출하고, 자신은 전문분야가 아니라는 이유로 적절한 조치를 취하지 않은 96다49667 판결에서 당직 의사의 과실을 인정하였다. 대법원은 산부인과 전문의가 아니라고 하더라도 당직 의사였다면 전문의가 없는 상황에서 환자의 구체적 증상에 따른 나름의 처치를 하였어야 한다고 판결한 것인데, 주요한 점은 자신의 전문분야가 아니라는 것은 응급치료를 지연한 것의 타당한 이유가될 수 없다는 점이다.

그리고 이러한 법리는 수의사의 경우에도 동일하게 적용된다. 박미숙 인턴 수의사도 비록 경험이 미숙하다고 하더라도 당직 수의사의 업무의 성질에 비추어 그에 맞는 최선의 조치는 취했어야 한다.

2. 순심이에 대한 부적절한 약물 처치

박미숙 인턴 수의사는 순심이의 호흡곤란에 대해 대증요법으로서 아미노피린을 투여하였는데, 그 결과 부정맥의 부작용이 발생하였다.

대법원은 이와 유사하게 수련의의 야간 당직 중 호흡곤란을

호소하는 환자가 내원하였고 수련의는 아미노피린을 처치하였으나 결국 사망한 84다카1881 판결에서 수련의의 과실을 인정하지 않았다. 대법원은 해당 수련의는 환자의 심장질환 이력을 확인하기 어려운 정황이었고, 전문의가 아니면 심전도 검사를 하더라도 심장의 병적 증세의 구체적 병명을 확인하기 어려우므로 수련의의 의학지식에서 아미노피린을 선택한 것이 과실은 아니라고 판단한 것이다. 이는 수련의가 응급 상황에서 선택한 약제가 환자의 사망이라는 악결과를 초래하였다고 하더라도 그러한 처치가 해당 의사의 수준에서 합리적인 근거가 있는 것이었다면 이를 과실로 인정할 수 없음을 확인한 판결이라고 하겠다.

박미숙 인턴 수의사도 순심이의 호흡곤란 상태에서 기관지확장제인 아미노피린을 선택하여 처치한 것이며 그러한 약제 선택은 박미숙 인턴 수의사의 처한 상황에서는 합리적인 근거가 있었던 것이다. 또한 최견주씨는 박미숙 인턴 수의사에게 순심이의 평소 심장질환에 대해서도 고지하지 않았다. 그러므로 결국 순심이가 사망하는 결과가 발생하였다고 하더라도 그것만으로 박미숙 인턴 수의사의 과실이라고 할 수는 없다.

판례의 입장을 정리하자면, 당직 수의사라면 인턴 수의사라도 응급상황에서는 나름 최선의 조치를 취해야 한다. 그리고 그러한 조치를 취한 결과가 혹여 악결과로 이어진다고 하더라도 선택한 치료 방법이 타당한 근거가 있는 것이었다면 의료과실이

인정되는 것은 아니다.

7. 수술동의서의 의의와 효력

김명의 수의사가 운영하는 명의동물병원에 이동주씨가 반려견 순돌이를 데리고 내원하였다. 이동주씨는 순돌이가 교통사고를 당하였다고 설명하였고, 순돌이는 호흡곤란과 청색증 증상을 나타냈다. 김명의 수의사는 방사선 촬영 후 순돌이를 횡경막 허니아로 진단하고 이동주씨에게 수술을 권유하였다. 김명의 수의사는 수술 전 이동주씨에게 수술동의서를 써달라고 요청하였다. 수술동의서는 명의동물병원에서 사용하는 양식에 이동주씨가 서명만 하는 방식으로 작성되었고, 그 내용에는 '수술과 관련하여 일어날 수 있는 모든 합병증과 환자의 사망에 대하여 이의를 제기하거나 배상을 청구하지 않는다'는 문구가 포함되어 있었다. 이동주씨는 수술을 받기 위해 수술동의서에 서명을 하였고, 순돌이에 대한 수술이 진행되었다.

김명의 수의사는 수술 중 흉강의 장기를 견인하면서 주위의 혈관을 손상시켰고, 김명의 수의사는 그 사실을 인지하지 못하고 수술을 마쳤다. 그리고 순돌이는 내부출혈이 심하여 결국 사망하고 말았다.

이동주씨는 순돌이의 사망에 김명의 수의사에게 책임을 추

궁하였다. 김명의 수의사는 이동주씨가 수술과 관련하여 책
임을 묻지 않기로 한 수술동의서에 서명하였기 때문에 자신
은 책임이 없다고 주장하였다.

수술동의서에는 수술의 필요성과 수술 후 발생할 수 있는 합
병증 등이 포함된다. 그런데 이동주씨가 작성한 수술동의서는
순돌이의 수술과 관련하여 장래 발생할 수 있는 김명의 수의사
에 대한 손해배상청구권을 포기하는 내용도 포함되어 있다.

1. 수술동의서의 의의와 법적 근거

수술동의서란 수술을 하는 것에 대한 보호자의 동의를 확인하
는 문서이지만, 그것을 포함하여 수술 전 수의사가 보호자에게
수의사로서의 설명의무를 이행하였음을 확인하는 의미가 있다.
수의사의 설명의무란 환자의 진단 병명과 어떤 수술이 행해지
는지 수술의 내용, 수술에 동반될 수 있는 부작용 등을 설명하
고 보호자가 수술을 받을지 여부를 포함하여 치료 전반에 대하
여 결정할 수 있도록 기회를 제공해야 하는 의무이다. 수의사
의 설명의무를 법률에서 명시하기 전에도 해석상 설명의무가
인정되어 왔으나, [수의사법]은 2022년 1월 개정에서 이를 명

문화하였다.

[수의사법] 제13조의2에 따라, 수의사는 수술, 수혈 등 중대진료를 하는 경우 보호자에게 치료 내용을 설명하고 동의서를 받아야 한다.

설명의 대상은 [수의사법] 제13조의2 제2항에서 규정하고 있다. ① 동물에 대한 진단명, ② 수술 등 중대진료의 필요성 및 내용, ③ 수술 등 중대진료에 발생 가능한 후유증, ④ 수술 등 중대진료 전후 보호자의 준수사항이 그것이다.

그리고 인의(人醫)의 설명의무와 관련하여 대법원은 99다10479 판결에서, 수술 등을 직접 한 담당의가 아닌 다른 의사가 설명하는 것도 가능하다고 판결한 바 있으므로, 동물에 대한 설명의무에서도 담당수의사가 아닌 동물병원 내의 다른 수의사가 설명하는 것도 가능할 것이다.

진료에 대한 설명과 동의서 작성은 수술 등 중대진료를 하기 전에 이루어져야 한다. 그러나 예외적으로 응급상황에서는 사후적으로 응급진료를 한 후 설명과 동의서 작성을 할 수 있다.

설명 및 동의서 작성을 하지 않은 경우는 [수의사법] 제41조 제2항 제2호의2에 따라, 100만원 이하의 과태료가 부과된다.

그런데 이러한 수술동의서는 입법 취지가 수의사로 하여금 설명의무를 이행하도록 하기 위함이고, 수의사의 진료행위의 책임을 사전에 정하도록 하기 위함은 아니다.

2. 이동주씨가 작성한 수술동의서의 법적 효력

이동주씨가 수술동의서를 작성할 때, 이동주씨는 아직 김명의 수의사에 대하여 손해배상청구권을 갖고 있던 상태가 아니었다. 이동주씨의 손해배상청구권은 순돌이가 사망한 시점에 확정된 것이기 때문이다. 그러므로 이동주씨가 아직 확정되지 않은 손해배상청구권을 먼저 포기할 수 있는지 여부가 문제가 된다.

장래의 청구권이라도 해당 청구권의 내용이 구체적으로 특정되고, 청구권이 발생할 개연성이 높다면 원칙적으로 장래의 청구권의 처분도 가능하다.

그런데 이동주씨의 손해배상청구권은 김명의 수의사가 혈관을 손상시키고 이를 인지하지 못하는 과실을 범함으로써 발생한 것인데, 김명의 수의사가 과실 있는 진료행위를 할 것에 대해서는 이동주씨가 예측 가능하였다고 보기 어렵고, 그 발생 가능성 또한 높았다고 할 수 없다. 그러므로 이동주씨가 수술과 관련하여 책임을 묻지 않겠다는 수술동의서에 서명한 것은 아직 김명의 수의사에 대한 손해배상청구권의 내용이 구체적으로 특정되지 않은 상태에서, 모든 범위의 손해배상청구권을 포기하는 것으로서 법적 효력이 인정되기 어렵다.

또한 이동주씨의 수술동의서는 [약관의 규제에 관한 법률(약관규제법)]이 적용될 수 있다. 이동주씨가 작성한 수술동의서는 명의동물병원에서 정한 양식의 수술동의서에 이동주씨가 서명만 하는 방식으로 작성되었다. 순돌이의 수술은 김명의 수의사와 이동주씨 사이의 위임계약에 의해 행해진 것이고, 수술동의서와 같이 계약의 한쪽 당사자가 여러 명의 상대방과 계약을 체결하기 위하여 일정한 형식으로 미리 마련한 계약서는 명칭에 상관없이 약관에 해당한다. 보통 약관이라고 하면 '약관'이라는 명칭을 사용하면서 장문의 법률 내용을 포함하는 계약서를 생각하기 쉬우나, [약관규제법]은 그 명칭이나 형태, 범위에 상관없이 계약의 한쪽 당사자가 여러 명과 미리 정해진 양식으로 계약을 체결하는 경우는 모두 약관으로 정의하고 있는 것이다. 그리고 [약관규제법]은 제7조에서 사업자의 손해배상책임 등을 면책하는 조항은 무효로 규정하고 있다.

이동주씨는 순돌이의 수술이 절박한 상황이었고, 수술동의서를 작성하지 않으면 수술을 받을 수 없었으며, 더욱이 장래의 청구권은 그 성질상 미리 포기하는 것이 매우 제한적이다. 그리고 수술동의서의 작성으로 김명의 수의사의 중과실에 의한 의료과실도 면책하는 것은 이동주씨에게 부당하게 불리한 일이 된다고 할 것이다. 그러므로 이동주씨가 작성한 수술동의서는 그 내용대로 김명의 수의사의 책임을 면책하는 효과가 있다고 보기 어렵고, 따라서 수술동의서 중 이동주씨가 손해배상청구권을 포기한다는 부분은 무효라고 할 것이다.

인의 분야의 공정거래위원회 표준약관의 수술동의서도 의사의 책임을 면책하는 내용은 포함되어 있지 않으며, 발생 가능한 합병증과 행해질 수술 내용 및 수술 필요성 등에 대한 것이 주된 내용이다.

다만 이러한 수술동의서의 효력에 대한 명확한 판례가 아직 있는 것은 아니다. 수술동의서가 경과실에 의한 의료과실의 손해배상청구권의 포기는 효력이 인정된다는 법적 견해도 있을 수 있다.

3. 수술동의서 작성의 효과

이와 같이 이동주씨의 수술동의서 중 수술과 관련하여 이의를 제기하거나 손해배상청구를 하지 않겠다는 부분은 무효이다. 그렇다면 수술동의서에 합병증 등을 왜 기재하는지 의문이 들 수 있다.

위에서 살펴본 바와 같이 수술동의서는 수의사가 보호자에게 설명의무를 이행하였음을 증명하는 효과가 있고, 설명 대상에는 진단명, 수술필요성, 발생 가능한 후유증, 보호자 준수사항 등이 포함된다.

그리고 대법원은 2005다5867 판결 등에서, 의사가 설명의무 이행하지 않았음을 환자가 입증하는 것이 아니라, 의사측이 설명의무를 이행하였음을 입증해야 한다고 하였다.

즉 수의사가 발생 가능한 후유증 등을 설명하였음을 입증해야
하는데, 수술동의서에 발생 가능한 후유증 등을 기재하여 작성
함으로써 수의사는 이를 설명하였음을 입증하는 근거를 마련할
수 있다.

또한 손해배상청구는 합병증이 발생하면 청구할 수 있는 것이
아니라 수의사의 과실이 있는 경우에 청구할 수 있는 것이다.
그런데 수술 전에 작성된 수술동의서에 수술과 관련하여 발생
가능한 후유증 또는 폐사가능성 등이 기재되어 있다면, 혹여
수술 후 실제 그러한 후유증이 발생하는 경우에도 그 합병증이
수의사의 과실에 의해 발생한 것이 아니라 수술과 관련하여 자
연적으로 발생할 수 있는 것임에 대한 방증이 될 수도 있을 것
이다.

8. 수의사법의 수술동의서와 설명의무

김명의 수의사의 명의동물병원에 이동주씨가 반려견 순돌이를 데리고 내원했다. 순돌이는 치아골절로 치수가 노출되어 있었고, 하나는 영구치 발치를, 하나는 신경치료를 하기로 하였다. 김명의 수의사는 이동주씨에게 전신마취 후 발치와 신경치료를 할 것과 마취 부작용으로 호흡마비가 발생할 수 있음을 설명하였다. 하지만 내부장기나 뼈에 대한 수술이 아니므로 이동주씨로부터 별도의 동의서를 받지는 않았다. 김명의 수의사는 럼푼과 케타민을 혼합하여 순돌이의 마취를 진행하였는데, 순돌이는 치료를 끝마친 후에도 마취에서 회복되지 않다가 결국 호흡마비로 사망하였다.

이동주씨는 김명의 수의사를 상대로 순돌이를 사망케 한 과실을 주장하며 손해배상청구소송을 제기하였다. 김명의 수의사는 호흡마비는 럼푼의 부작용 중 하나로서 자신의 마취 처치 자체에는 과실이 없었음을 입증하였다. 그러자 이동주씨는 김명의 수의사가 마취를 하기 전에 이러한 부작용을 설명하지 않았다고 주장하며, 설명의무 위반에 대한 손해배상을 주장하였다.

수의사와 보호자 사이의 주된 분쟁 원인은 의료과실 문제이다. 그런데 의료과실과 함께 자주 문제되는 사항으로 설명의무가 있다. 김명의 수의사는 자신의 마취 처치에 과실이 없었음은 입증하였으므로, 설명의무 위반 여부가 문제로 남는다. 김명의 수의사는 마취 전 이동주씨에게 마취 필요성과 부작용 등에 대해 설명하였는데 동의서를 받아두지는 않았다. 수의사법에 따를 때 김명의 수의사가 설명의무와 관련하여 법적 책임을 부담하는지 여부를 살펴보자.

1. 동의서의 대상 범위

[수의사법] 제13조의2는 수술, 수혈 등 중대진료를 하는 경우 수의사는 보호자에게 치료 내용을 설명하고 동의서를 받도록 하고 있다. 그리고 이러한 동의서를 받아야 하는 범위에 대해 [수의사법 시행규칙] 제13조의2 제1항은 전신마취를 동반하는 내부장기·뼈·관절에 대한 수술과 전신마취를 동반하는 수혈로 규정하고 있다. 이러한 규정에 따를 때 김명의 수의사의 경우 동의서를 받지 않은 것이 수의사법 위반이 되는지 여부를 살펴보자.

김명의 수의사는 순돌이의 발치 및 신경치료를 하였는데, 영구치 발치와 신경치료의 경우 보통 전신마취가 필요하다.

우선 발치 수술은 못박이관절에 대한 수술로 볼 여지가 있다. 이에 대해서는 수의학적인 판단 및 해석이 필요해 보인다. 발

치 수술을 못박이관절에 대한 수술로 본다면 김명의 수의사는 이동주씨로부터 동의서를 받아야 할 법적 의무가 있던 것이고, 동의서를 받지 않은 것만으로 수의사법을 위반한 것이 된다. 그리고 그런 경우 [수의사법] 제41조 제2항 제2호의2에 따라, 100만원 이하의 과태료가 부과된다. 구체적으로는 1회 위반의 경우 30만원의 과태료, 2회 위반은 60만원, 3회 위반은 90만 원의 과태료가 부과된다. 반면 발치 수술을 못박이관절에 대한 수술로 보지 않는다면 동의서를 받지 않은 것이 위와 같은 수의사법 위반이나 과태료 처분 대상은 아니다. 그래도 발치 수술의 경우 동의서를 받아두는 것이 불필요한 분쟁을 예방하는 방법이 될 것이다.

또한 신경치료의 경우는 내부장기, 뼈, 관절에 대한 수술이 아님은 명백하다. 따라서 김명의 수의사는 순돌이의 신경치료에 대해서는 이동주씨로부터 동의서를 받아야 할 법적 의무가 있는 것은 아니다.

2. 설명의무와 동의서 작성 범위의 관계

위에서 살펴본 바와 같이 김명의 수의사는 적어도 신경치료에 대해서는 이동주씨로부터 서면의 동의서를 받을 법적 의무는 없었고, 그러므로 동의서를 받지 않을 경우에 부과되었을 과태료는 적용되지 않는다. 하지만 한 가지 주의할 점은 수의사법에서 규정하는 동의서를 작성·교부받을 의무와 설명의무가 반

드시 동일한 의미가 아닐 수 있다는 점이다.

동의서 작성 의무는 2022년 개정 수의사법에서 신설된 조항이며, [수의사법 시행규칙]으로 정하는 진료에 대해서만 동의서 작성 의무가 인정된다. 이러한 동의서 작성의무와 비교하여, 그렇다면 설명의무는 무엇을 말하는 것일까?

설명의무는 수의사법 등 특정 법률에서 규정하는 의무가 아니다. 설명의무는 법률이 아닌 판례에 의해 인정되는 의무로서, 대법원은 헌법상 자기결정권에 근거하여 설명의무를 인정하였다. 환자가 중요한 진료를 받을 때에 그 진료를 받을지 여부 등은 환자 본인이 결정할 수 있어야 하고, 그러기 위해서는 의료인은 환자에게 해당 진료의 필요성, 진료의 내용 및 부작용 등에 대하여 설명할 의무가 있다는 것이다. 그리고 이러한 법리는 인의(人醫) 분야뿐만 아니라 수의(獸醫) 분야에도 동일하게 적용될 수 있다. 실제 하급심 판례에서는 수의사에게도 이러한 설명의무를 인정하고 있다.

그렇다면 수의사법에서 정하는 동의서 작성 의무와 설명의무의 관계는 어떻게 이해해야 할까?

수의사법에서 규정하는 동의서 작성 의무는 설명의무 중 주요 부분을 명문으로 규정한 것이다. 설명의무는 지금까지 법률에 명문으로 명시되어 있지는 않았는데, 개정 수의사법이 판례에서 인정하던 설명의무 중 주요 대상을 명문화한 것이다. 이는 인의 분야에서도 마찬가지의 이력이 있다. 인의에서도 법률의 명시적인 조항이 없었어도 판례는 의사에게 설명의무를 인정하

였었고, 의료법은 이러한 판례의 법리를 수용하여 2016년 의료법 제24조의2를 신설하여 설명의무를 명문화하였다.

다만 수의사법과의 차이점이 있다면 수의사법은 동의서 작성 의무의 대상을 '전신마취를 동반하는 내부장기·뼈·관절에 대한 수술'처럼 한정하는 반면, 의료법은 그 대상을 제한하고 있지 않다는 것이다. 그런데 수의사법이 동의서 작성 의무의 대상을 한정하고 있다고 하여 그것이 기존에 판례가 인정하던 설명의무를 실효시키거나 설명의무의 범위를 제한하는 것은 아니다. 판례가 인정하는 설명의무는 법률의 명시적인 규정이 없었더라도 법률보다 상위법인 헌법에 근거하여 인정되던 것인데, 법률에서 동의서 징구의 범위를 제한한다고 하더라도 헌법상의 의무의 범위가 제한되는 것은 아니다.

그러므로 수의사법상 동의서 작성 의무의 범위보다 설명의무의 범위가 더 넓고, 따라서 수의사법상 동의서 작성 의무를 위반하면 설명의무를 위반하는 동시에 수의사법도 위반하는 것이 된다.

김명의 수의사의 순돌이에 대한 신경치료는 수의사법상 동의서 작성 의무의 범위에는 포함되지 않지만 설명의무의 범위에는 포함된다. 따라서 김명의 수의사가 신경치료를 하면서 설명을 하지 않고 동의서를 작성하지 않았다면, 그것은 수의사법 위반이 되는 것은 아니지만 설명의무 위반은 성립할 것이다.

그런데 김명의 수의사는 이동주씨에게 동의서를 받아두지는 않았지만 구두로 신경치료와 발치에 대한 설명을 하였다. 그런

데 이동주씨는 설명을 들은 바 없다고 부인하고 있다. 이 문제
는 법적으로 어떤 의미를 갖을까?

3. 설명의무의 입증책임

위와 같이 김명의 수의사는 동의서 작성 의무는 없었지만 설
명의무는 있었다. 그리고 김명의 수의사는 이동주씨에게 마취
전에 설명을 하였으므로 설명의무를 이행한 것이다.

그런데 이동주씨는 김명의 수의사를 상대로 손해배상청구소송
을 제기하고서는 자신은 설명을 들은 바 없다고 주장하였다.
소송에서 실제 사실과 다르게 허위 주장을 하는 경우도 있는
것이 현실이다.

이동주씨와 김명의 수의사는 마취 전 설명을 하였는지 여부에
대해 서로 상반되는 주장을 하고 있다. 이러한 경우 누가 입증
책임을 부담하는지가 중요하다. 입증책임을 부담하는 자가 자
신의 주장 사항을 입증하지 못하면 그 주장하는 바가 법원에서
인정되지 않기 때문이다. 그리고 설명의무와 관련하여 대법원
은 2005다5867 판결 등에서, 의료인이 자신이 환자에게 설명
의무를 이행하였다는 사실을 입증할 책임이 있다고 하였다. 그
러므로 김명의 수의사의 경우도 이동주씨가 설명을 듣지 못했
음을 입증하는 것이 아니라, 김명의 수의사가 이동주씨에게 설
명을 하였다는 사실을 입증하여야 하며, 이를 입증하지 못한다
면 김명의 수의사가 실제 설명의무를 이행하였다고 하더라도

소송에서는 그 사실을 인정받지 못한다. 그리고 설명의무를 이행한 사실을 인정받지 못하면 김명의 수의사가 과실없이 진료를 하였더라도 설명의무를 이행하지 않은 것만으로 손해배상책임이 발생한다. 따라서 동의서를 받아두어야 설명의무를 이행한 것에 대한 증거로 활용할 수 있다.

수의사법이 동의서 작성 의무를 신설하였는데, 이는 기존의 설명의무의 주요 부분을 강화하면서 법률에 명문화한 규정이라고 하겠다. 따라서 김명의 수의사의 신경치료처럼 동의서 작성 의무의 대상은 아니더라도 설명의무의 대상은 될 수 있는 진료가 있을 수 있다. 그러므로 비단 '전신마취를 동반하는 내부장기·뼈·관절에 대한 수술'이 아니라고 하더라도 부작용이 발생할 수 있는 중요한 진료인 경우라면 미리 보호자에게 설명을 하고 동의서도 받아두는 것이 안전한 방법이 되겠다. 또한 발치 수술처럼 동의서 작성의 대상인지 여부가 애매한 경우에도 동의서를 받아두는 것이 불필요한 분쟁과 불이익을 예방하는 방법이 될 것이다.

9. 대진수의사의 의료과실과 사용자책임

김명의 수의사는 명의동물병원을 365일 운영하고 있다. 다만 일주일에 하루는 박대진 수의사에게 일당 100만원의 비용을 지불하고 명의동물병원의 진료를 맡기고 있다. 그리고 박대진 수의사의 대진 중 이동주씨가 반려견 순돌이를 데리고 명의동물병원에 내원했다. 그런데 박대진 수의사는 순돌이가 수술을 감당하기도 힘든 상태였음에도 불구하고 무리하게 수술을 진행했고, 혈압 등의 검사를 하지 않았다. 순돌이는 수술 후에 결국 마취에서 깨어나지 못하고 사망하였다. 이동주씨는 명의동물병원의 원장인 김명의 수의사에게 순돌이의 사망에 대한 배상을 청구하였고 그 금액으로 500만원을 요구하였다. 이에 김명의 수의사는 자신이라면 수술을 하지 않았을 것이라고 하면서, 배상을 거절하였다.

박대진 수의사에게 의료과실이 인정되고 그 금액이 500만원이라고 한다면, 김명의 수의사는 의료과실이 없음에도 손해배상책임이 있을까?

1. 김명의 수의사의 사용자책임

김명의 수의사 입장에서는 박대진 수의사에게 명의동물병원에서의 진료를 일임하였으니 대진 과정에서 발생한 사고도 박대진 수의사가 책임을 질 뿐 자신은 책임이 없다고 생각할 수 있다.

그런데 이동주씨의 입장에서는 박대진 수의사든 김명의 수의사든 모두 명의동물병원의 수의사이다. 즉 이동주씨가 보기에는 박대진 수의사는 김명의 수의사의 피용자인 것이다.

[민법] 제756조는 "타인을 사용하여 어느 사무에 종사하게 한 자는 피용자가 그 사무집행에 관하여 제3자에게 가한 손해를 배상할 책임이 있다. 그러나 사용자가 피용자의 선임 및 그 사무 감독에 상당한 주의를 한 때 또는 상당한 주의를 하여도 손해가 있을 경우에는 그러하지 아니하다."라고 규정하여, 피용자의 손해배상책임에 대해 고용주도 동일한 책임을 지도록 하고 있다. 이를 사용자책임이라 한다. 그리고 대법원은 94다34272 판결 등에서 실제 고용관계가 아니라 피해자의 입장에서 보기에 외형상 고용관계이면 사용자책임을 인정하였다.

김명의 수의사는 1주일 중 하루만 박대진 수의사를 고용한 것이므로 사용자책임으로서 이동주씨에게 배상할 책임이 있다. 그렇다면 김명의 수의사는 이동주씨에게 얼마나 배상해주어야 할까?

2. 김명의 수의사의 배상범위

순돌이의 수술이라는 하나의 사실관계에서 박대진 수의사는 의료과실책임, 김명의 수의사는 사용자책임을 진다. 하나의 사실관계에서 각자 별개의 책임이 발생한 경우를 부진정연대책임이라고 하는데, 피해자는 배상책임자 중 1명에게도 책임의 전부를 청구할 수 있다. 그러므로 이동주씨는 김명의 수의사에게 500만원을 전부 요구할 수 있는 것이다.

3. 김명의 수의사의 구상권

김명의 수의사는 이동주씨에게 자신이 범하지 않은 의료과실에 대하여 전부 책임을 져야 하는데, 이는 박대진 수의사의 책임을 대신 진 것이다. 그러므로 김명의 수의사는 이동주씨에게 배상한 배상금을 박대진 수의사에게 다시 청구할 수 있는데, 이를 구상권이라 한다.

다만 대법원은 95다52611 판결 등에서, 사용자책임을 부담한 자가 구상권을 청구할 때에는 신의와 성실에 비추어 적당한 범위에서만 구상권을 행사하도록 제한하였다. 즉, 의료과실은 박대진 수의사 혼자 범한 것이더라도 신의와 성실에 비추어 적당한 범위(예를 들어 300만원)만 구상권을 청구하도록 제한된다.

10. 진료부 공개 및 허위작성의 문제

김명의 수의사의 명의동물병원에 이동주씨가 반려견 순돌이를 데리고 내원하였다. 순돌이는 다음, 다뇨에 식욕부진, 구토 증상을 나타내고 있었다. 김명의 수의사는 순돌이에 대하여 위염으로 진단하고 항구토제를 처방하였고, 이를 진료부에 기록하였다. 하지만 순돌이는 신부전이 있었던 것이고, 김명의 수의사는 항구토제 처방만 계속하였으며 그러는 사이 순돌이의 신부전은 점차 악화되었다. 나중에 이 사실을 알게 된 이동주씨는 법원에 김명의 수의사를 상대로 손해배상을 청구하였다.

이동주씨는 김명의 수의사에게 진료부의 공개를 요구하였다. 하지만 김명의 수의사는 항구토제 처방만 한 진료부를 공개하는 것은 손해배상을 인정하는 것이나 마찬가지라 생각하여 진료부 공개를 거부하였다.

그러자 이동주씨는 법원을 통하여 김명의 수의사에게 진료부의 공개를 청구하였다. 김명의 수의사는 진료부를 그대로 공개하면 손해배상이 분명히 인정될 것이라 생각하였고, 신부전에 대하여 방사선 검사 등을 하고 적절히 처치를 했던 것처럼 진료부를 다시 작성하였다. 그리고 수정한 진료부를

법원에 제출하였다.

이동주씨가 직접 김명의 수의사에게 진료부 공개를 요구한 경
우 김명의 수의사는 이에 따라야 할까? 그리고 이동주씨가 법
원을 통해 진료부 공개를 청구하는 경우에는 따라야 할 의무가
있는지, 김명의 수의사가 허위의 진료부를 작성하고 이를 법원
에 제출한 것의 법적 의미는 어떠한지 살펴보자.

1. 진료부 작성 의무

수의사에게는 진료부를 작성할 의무가 있다. [수의사법] 제13
조 제1항은 "수의사는 진료부나 검안부를 갖추어 두고 진료하
거나 검안한 사항을 기록하고 서명하여야 한다."라고 규정하고
있는 것이다. 그리고 진료부나 검안부를 기록하지 않는 경우는
[수의사법] 제41조에 의해 500만원 이하의 과태료가 부과된
다.

2. 이동주씨의 진료부 공개의 직접 청구에 대하여

현행 [수의사법]상 보호자가 직접 수의사에게 진료부의 공개

를 청구하는 경우, 수의사는 이에 따라야 할 의무가 있는 것은 아니다. [의료법]에는 환자의 청구가 있으면 의사는 이에 응하여야 하며 정당한 사유 없이 거부할 경우에는 500만원 이하의 벌금에 처하도록 하고 있다. 하지만 현행 [수의사법]에는 수의사의 진료부 공개 의무에 대한 규정이 존재하지 않는다.

즉, 수의사에게는 진료부를 작성할 의무는 있으나, 보호자가 공개를 요청할 경우에 이에 응할 의무는 없다고 하겠다. 그러므로 이동주씨가 김명의 수의사를 상대로 소송을 제기한 경우라고 하더라도 김명의 수의사가 무조건적으로 진료부를 공개해야 하는 것은 아니다.

3. 이동주씨가 법원을 통하여 진료부의 공개를 청구하는 경우

위와 같이 이동주씨는 직접 김명의 수의사에게 진료부 공개를 청구할 수는 없으나, 법원을 통하여 김명의 수의사를 상대로 문서제출명령 등을 할 수 있다. 즉, 법원에게 김명의 수의사를 상대로 진료부를 공개하라는 명령을 내려줄 것을 신청하는 것이다.

이에 대하여 [민사소송법] 제349조는 명령을 받은 상대방이 명령에 따르지 않은 때에는 법원은 문서의 내용에 대한 신청인의 주장이 사실이라고 인정할 수 있도록 규정하고 있다. 즉, 김명의 수의사가 법원의 진료부 공개 명령에 불응할 수는 있으나, 그럴 경우는 이동주씨가 진료부와 관련하여 주장하는 내용

이 사실로 받아들여지는 것이다. 진료부와 관련한 이동주씨의 주장이 사실로 받아들여진다는 것은 이동주씨의 손해배상이 인정되는 결과가 될 것이다.

4. 진료부 허위작성에 대하여

[수의사법]은 수의사에게 진료부를 작성할 의무를 규정하고 있는데, 진료부는 작성하였으나 그 내용을 허위로 작성한 경우는 어떻게 규정하고 있을까?

[수의사법] 제41조는 진료부를 작성하지 않는 경우뿐만 아니라 허위로 작성하는 경우에도 마찬가지로 500만원 이하의 과태료에 처하도록 하고 있다. 그러므로 김명의 수의사는 진료부를 새로 작성하는 순간 그 진료부를 공개하는지 여부와 무관하게 이미 과태료 부과 처분 대상이 되는 것이다.

5. 허위작성된 진료부를 재판에 제출하는 경우

김명의 수의사는 재판을 위해 허위작성된 진료부를 제출하였다. 이는 허위작성된 진료부를 사용한 것인데, [수의사법]에는 허위작성한 진료부의 사용과 관련한 규정은 없다. 하지만 김명의 수의사는 손해배상을 면하기 위하여 허위의 증거를 제출한 것으로서, 이는 손해배상의 면책이라는 재산상 이득을 위하여 허위증거로 법원을 기망한 것이다. 이러한 경우는 소송사기에

해당할 수 있다.

II. 소송 개입과 관련한 법적 절차

김명의 수의사의 명의동물병원에 오랫동안 단골인 이동주 씨가 반려견 순돌이를 데리고 내원하였다. 김명의 수의사는 순돌이가 개복수술이 필요하다고 판단하여, 박동기 수의사가 운영하는 2차 동물병원인 동기동물병원으로 전원 조치하였다. 김명의 수의사는 박동기 수의사에게 소견서를 보내면서 순돌이가 심부전 등 심장질환이 있다는 점도 표기하였다. 그런데 박동기 수의사는 순돌이가 심장질환이 있는 것을 간과하고 마취제로 thiopental을 과다투여하였다. 그리고 순돌이는 부정맥이 발생하였고 수술 직후 사망하고 말았다.

이동주씨는 박동기 수의사를 상대로 의료사고에 대한 민사소송을 제기하였다. 이동주씨는 오랫동안 단골로 친분이 있는 김명의 수의사에게 진료기록을 감정해줄 것을 요청하였다. 동기동물병원에서의 진료기록을 살펴보고 처치상 잘못된 부분을 지적해달라는 것이었다. 김명의 수의사는 박동기 수의사가 마취제로 thiopental을 사용한 것이 부적절하다고 생각되었지만 이를 지적하는 감정을 하는 것이 부담스러워 이동주씨의 요청을 거절하였다.

그리고 얼마 후 법원으로부터 증인으로 출석하라는 통지를

받았다. 김명의 수의사가 전원조치를 할 때 순돌이의 심부
전 등 심장질환을 고지하였는지 여부를 확인하기 위한 것이
었다. 김명의 수의사는 법원에 증인으로 출석하는 것이 부
담스러워 출석에 응하지 않았다.

그리고 얼마 후 법원으로부터 명의동물병원의 진료기록부
를 제출하라는 문서제출명령서를 받았다. 명의동물병원에서
순돌이가 심장질환에 대해 진료받은 내역을 확인하려는 것
이었다. 역시 김명의 수의사는 법원의 제출명령에 응하지
않았다.

수의사는 다른 직업군에 비해 진료기록감정이나 법정 증언,
문서제출명령을 요구받는 경우가 더 많다. 김명의 수의사는 감
정, 증인, 문서제출에 모두 응하지 않았는데, 이러한 경우 불이
익은 없을까? 또는 김명의 수의사에 대한 법적인 강제 수단이
있는 것은 아닌지 알아보자.

1. 감정 관련

감정이란 소송에서 전문지식과 경험을 가진 자로 하여금 쟁점
이 되는 사항에 대해 사실판단을 하여 이를 법원에 보고하도록

하는 절차이다.

thiopental은 심실성 부정맥 등을 유발할 수 있어, 심장질환이 있는 환자의 경우 마취제로 사용하는 것이 금기되는 것으로 알려져 있다. 박동기 수의사는 순돌이의 심장질환을 간과하고 thiopental을 과다투여하였으므로 의료과실이 인정될 수 있을 것이다. 그리고 김명의 수의사는 이러한 취지의 감정을 하는 것이 부담이 되어 이동주씨의 감정 요청을 거부하였다.

우선 감정인 선임 절차를 대략적으로 살펴보면 다음과 같다. 감정인은 원칙적으로 법원이 지정하고, 예외적인 경우 당사자가 섭외할 수도 있다. 법원이 감정인을 지정하는 방식은 법원이 보유하는 감정인 목록에서 선별하여 감정 요청을 하고, 요청을 받은 자가 응하는 경우 감정인으로 지정한다. 그리고 동물을 포함한 의료소송에서는 가능한 수의과대학 등 대학병원에 감정을 요청한다. 그런데 감정 요청을 받은 자가 감정을 기피하는 경우가 생길 수 있는데, 법원은 강제적으로 감정인 지정 결정을 하고 감정을 명할 수도 있으나, 실무적으로는 소송과 무관한 제3자에게 일방적으로 의무를 부과하는 것은 부당할 수 있으므로, 감정 요청을 받은 자가 업무상 과다 등 적절한 이유로 거부하는 경우 강제적으로 감정인 지정 결정을 하는 경우는 매우 드물다. 그렇게 법원에서 선임할 수 있는 감정인이 고갈되는 경우, 소송의 당사자가 감정인을 섭외하고, 상대방도 그 감정인에 대해 이의가 없으면 당사자가 섭외한 자가 감정을 할 수 있다.

김명의 수의사는 이동주씨로부터 감정 요청을 받았는데, 이는 위와 같이 소송 당사자가 감정인을 섭외하는 과정이므로 강제성이 있는 것은 아니다. 따라서 김명의 수의사가 이동주씨의 감정 요청을 거부하였더라도 어떤 불이익이 있는 것은 아니다. 하지만 매우 드문 경우이긴 하지만 법원에서 감정 요청이 아닌 감정인 지정 결정을 하고 감정을 명하는 경우라면 김명의 수의사도 감정할 의무가 생기며, 감정을 하지 않으면 500만원 이하의 과태료가 부과된다.

2. 증인 출석 관련

위 감정이 사건과 무관한 자로서 전문지식이 있는 자에게 전문적인 도움을 받는 것이라면 증인은 사건과 관련이 있는 자에게 증인이 경험한 사실관계를 확인하는 것이다. 따라서 증인으로 채택된 경우라면 재판에 출석하여 증언을 할 의무를 부담한다. 다만 불가피하게 출석하기 어려운 사유가 있다면 법원에 불출석사유서를 제출할 수 있는데, 그럴 경우 법원은 증인으로 채택된 것을 취소할 수도 있지만, 그대로 증인으로 출석할 것을 명할 수도 있고 재판 날짜를 변경하여 출석할 것을 명할 수도 있다.

증인이 법원의 출석 명령에 불응하고 불출석하는 경우, 법원은 증인에게 500만원 이하의 과태료를 부과하거나 직접 구인(拘引)할 수 있다. 구인은 증인을 강제적으로 실력행사를 하여

지정한 장소에 인치하는 것이다.

김명의 수의사는 법원의 증인 출석 요구에 응하지 않았는데, 이럴 경우 법원이 김명의 수의사를 증인으로 채택한 것을 취소하는 경우가 아니라면 과태료가 부과되거나 또는 강제적으로 구인 처분을 받을 수 있다.

3. 문서제출명령 관련

문서제출명령은 소송에서 필요한 문서를 소지하고 있는 자에게 그 문서를 법원에 제출하도록 하는 제도이다.

문서제출명령은 문서의 소지인이 소송의 당사자인지 아니면 제3자인지에 따라 절차가 차이가 있다.

김명의 수의사는 소송의 제3자로서 법원으로부터 진료기록부를 제출하라는 문서제출명령을 받았다. 제3자로서의 문서소지인이 법원의 문서제출명령을 받고도 이를 제출하지 않는 경우는 500만원 이하의 과태료가 부과된다.

한편, 만일 문서제출명령을 받은 문서소지인이 소송의 당사자, 즉 소송의 원고나 피고인 경우는 어떤 절차가 있을까? 가령 박동기 수의사가 진료기록부를 제출하라는 문서제출명령을 받았으나 이를 제출하지 않는 경우라면, 이때에는 과태료가 부과되는 것은 아니나, 이동주씨가 진료기록부와 관련하여 주장하는 점, 즉 박동기 수의사가 의료과실이 있다는 점이 그대로 판결에서 인정될 수 있다.

12. 공수의로서 수행한 업무로 인한 손해배상

김명의 수의사는 명의동물병원을 개원한 이후 군청 소속의 공수의로 위촉되어 활동하고 있다. 관할 군에서 구제역이 발생하여 김명의 수의사는 축산농가에서 예방백신을 접종하게 되었다. 김명의 수의사는 평소 진료를 봐주던 이농주씨 소유의 소에 대해서도 예방 접종을 해주었는데, 접종 과정에서 백신의 투여량을 착오하여 과다한 양을 투약하였고, 김명의 수의사가 접종한 이농주씨의 소는 쇼크 반응을 보여 결국 폐사하였다.

이농주씨는 김명의 수의사에게 손해배상 2,000만원을 요구하였다. 이에 김명의 수의사는 과실은 인정할 수 있으나 자신은 군청의 요청으로 접종한 것이므로 배상은 해줄 수 없다고 하였다.

1. 공수의의 신분

공수의는 [수의사법]상 시장·군수의 위촉을 받아 관할 시·군의

동물 관련 업무를 수행하는 자로서, 김명의 수의사는 공수의로 활동을 하고 있다. 이와 같이 공무원은 아니지만 일정한 업무에 대하여 공공기관의 업무를 수행하는 자를 업무수탁사인이라 한다. 업무수탁사인은 해당 업무에 대하여는 공무원의 신분이 인정되므로, 이농주씨의 입장에서 김명의 수의사가 공수의로서 예방 접종을 한 것은 공무원이 예방 접종을 한 것과 동일하다.

그리고 구제역 예방 접종으로 이농주씨는 소의 폐사라는 손해를 입었는데, 가축 전염병에 대한 예방 접종은 [가축전염병예방법] 제15조에 규정하고 있고, 동법 제48조에서 예방 접종 과정에서 발생한 축산농가의 피해에 대하여도 국가·지자체의 피해보상을 인정하고 있다.

이와 같이 공무원의 행위로 사인에게 손해가 발생한 경우, 담당 공무원의 행위가 고의·중과실인지 아니면 일반 경과실인지에 따라 손해배상의 방법과 책임의 귀속이 달라진다. 대법원은 95다38677 판결에서, 담당 공무원의 행위가 고의·중과실인 경우는 피해자는 국가·지자체뿐만 아니라 담당 공무원에게도 손해배상을 청구할 수 있으나, 경과실인 경우는 국가나 지방자치단체를 상대로만 손해배상을 청구할 수 있다고 판단하였다.

그리고 김명의 수의사가 예방 접종 과정에서 접종량의 착오가 있었다는 것만으로 중대한 과실이 있다고 보기는 충분하지 않을 것이다. 그렇다면 이농주씨는 김명의 수의사 개인에게 손해배상을 청구할 수는 없고, 국가나 군청에 손해배상을 청구해야

한다.

2. 김명의 수의사의 구상책임 여부

만일 김명의 수의사가 공수의로서 예방 접종을 한 것이 아니라, 동물병원을 운영하는 수의사로서 예방 접종을 하는 과정에서 이와 같은 결과가 발생하였다면 이농주씨에 대한 배상책임이 인정될 것이다. 그렇다면 군청은 김명의 수의사에게 구상금을 청구할 수는 없을까? 구상금이란 직접적인 책임이 있는 자가 부담해야 할 배상책임을 타인이 대신 부담하였을 경우, 대신 부담한 자가 직접 책임 있는 자에게 다시 변제를 청구하는 것이다. 만일 군청이 김명의 수의사의 책임을 주장하며, 이농주씨에게 배상한 2,000만원을 김명의 수의사에게 최종적인 부담을 지우려 한다면 어떻게 될까?

이와 관련하여, [국가배상법] 제2조 제2항은 해당 공무원 또는 공무수탁사인에게 고의 또는 중대한 과실이 있는 경우에 한하여 국가 또는 지방자치단체가 담당 공무원에게 구상할 수 있다고 규정하고 있다. 단순한 경과실에서는 담당 공무원의 책임이 면제되는 것이다.

위에서 본 바와 같이 김명의 수의사에게 중대한 과실까지는 없다고 할 것이므로, 김명의 수의사는 이농주씨에 대한 보상금을 최종적으로 부담할 책임도 없는 것이다.

이는 공무수행 과정에서 발생하는 책임에 대하여는 특별히 담

당 공무원의 면제를 인정하는 것인데, 이와 같이 [국가배상법]
이 공수의와 같은 공무수탁사인의 책임을 경감시켜주는 이유는
엄격하게 법적 책임을 추궁할 경우에는 공무 수행이 위축될 수
있음을 고려한 것이다. 그리고 이러한 법리는 공수의 뿐만 아
니라 다른 공무원 및 공공기관의 수의사에게도 동일하게 적용
된다.

ii.
동물 진료 관련

수의사의 생활법률

I. 법령 체계와 수의 관련 법령

김명의 수의사는 2016년 법이 바뀌어 반려동물의 자가진료가 금지되었다는 소식을 들은 바 있다. 그리고 김명의 수의사는 수의사법을 꼼꼼히 찾아보았으나, 반려동물 자가진료를 금지한다는 개정 내용은 찾아볼 수 없었다. 알고 보니 그것은 [수의사법]이 아니라 [수의사법 시행령]이 바뀐 것이었다.

김명의 수의사는 2020년에는 법이 바뀌어서 4종 종합 백신이 수의사 처방 대상이 된다는 소식을 들었다. 이번에도 수의사법을 찾아보았으나 수의사 처방 대상에 관한 내용은 없었다. 그 역시 [수의사법]이 아닌 [처방대상 동물용의약품 지정에 관한 규정]이 바뀐 것이었다.

김명의 수의사는 최근에는 민법이 개정되어 동물에게 물건이 아닌 제3의 법적 지위를 인정하는 법령이 입법 예고 되었다는 소식을 들었다. 김명의 수의사는 민법을 찾아보았으나 그와 같은 개정 내용은 찾을 수 없었고, 아직 민법 개정은 입법 과정에서 논의 중임을 알게 되었다.

수의사법 등 관련 법령은 어떤 체계로 이루어진 것일까? 그리고 입법 예고가 되었다는데 법률 개정이 이루어지지 않

은 이유는 무엇일까?

모든 법령의 근본은 헌법이다. 헌법은 모든 국민의 기본권과 국가 통치구조에 대하여 규정한다. 그리고 후술하는 법률과 법규명령 등은 모두 헌법에 부합하여야 하며, 헌법에 위배되는 법률이나 법규명령은 위헌으로 효력이 인정되지 않는다. 그리고 법률이나 법규명령 등이 헌법에 위반되는지는 헌법재판소에서 헌법소원 등으로 판단을 받게 된다. 가령, 2021년 약사회가 [처방대상 동물용의약품 지정에 관한 규정]이 4종 종합 백신을 수의사 처방 대상으로 규정한 것에 대하여 헌법소원을 제기한 것은 해당 규정이 헌법에 위반된다는 주장을 한 것이다.

헌법의 지배 하에 법률은 각 사회 구성원의 권리·의무에 관해 규정한다. 수의 업무와 관련하여 가장 직접적으로 규정하는 법률은 수의사법이지만 이 외에도 수의사가 적용받는 법률은 매우 다양하다. 법조문에서 직접적으로 수의사에 대하여 규정하는 법률을 찾아보자면, 수의사법, 약사법, 축산물위생관리법, 공중방역수의사법, 동물보호법, 마약류관리법, 수산생물질병법, 가축전염병예방법, 감염병예방법, 농수산물품질법, 실험동물법, 야생생물법, 축산법 등 매우 다양한 것을 알 수 있다.

이와 같은 법률은 국회에서 제정된다. 법률은 국민이 직접 선출한 국회의원에 의해 제정되므로 법률에서 세부적인 내용까지 정한다면 절차적 정당성을 충분히 확보할 수 있을 것이나, 국회에서의 입법 절차는 복잡하고 많은 논의를 거치게 된다. 따라서 어떤 권리·의무와 관련한 모든 세부적인 내용까지 법률에서 규정하는 것은 현실적으로 어렵고, 사회의 변화에 발빠르게 대응하는 데에는 불리한 면도 있다. 또한 현장에서 적용되어야 할 구체적이고 전문적인 사항은 국회보다 이를 관할하는 정부기관이 규정하는 것이 바람직할 수도 있다. 이에 법률은 일정한 사항은 보다 간편하게 제·개정을 할 수 있고 국회보다 전문성이 있는 행정부에 위임을 하게 된다. 행정부에서 위임을 받아 제정하는 법령을 법규명령이라고 하며, 대표적으로 시행령과 시행규칙이 있다.

가령 [수의사법] 제10조는 수의사 아닌 자의 동물 진료를 금지하면서도 일정한 경우의 예외를 인정하고 있다. 그리고 어떤 경우가 그 예외에 해당하는지는 수의사법에서 직접 규정하는 것이 아니라 [수의사법 시행령]에서 정하도록 위임하고 있는 것이다. 그리고 이와 같은 수의사법의 위임을 받은 [수의사법 시행령] 제12조는 기존에는 반려동물도 그 보호자가 직접 진료를 할 수 있는 것으로 규정하고 있었으나, 2016년에 반려동물은 보호자가 진료할 수 있는 대상에서 제외하는 것으로 개정되었다. 즉, [수의사법]이 수의사 아닌 자의 동물 진료 금지와 예외에 대하여 규정하고 있기는 하나, 구체적으로는 [수의사법

시행령]의 개정을 통해 반려동물 직접 진료를 금지하는 효과가 발생한 것이다.

 위에서 살펴본 바와 같이, 국회는 법률에서 모든 세부적인 내용까지 규정하기 어려우므로 정부에 구체적 내용의 규정을 위임하는 경우가 많고, 정부는 법규명령을 통하여 법률로부터 위임받은 사항을 규정한다. 법규명령은 형식과 제정하는 주체에 따라 대통령령과 부령·총리령으로 구분된다. 대통령령은 대통령이 국무회의를 통해 법률에서 위임한 내용을 규정하는 것으로서 [시행령]의 형식을 띤다. 반면 부령·총리령은 국무회의를 거치지 않고 각 부처의 장관 또는 총리가 직접 규정하는 것으로 [시행규칙]의 형식을 띠거나 [규정], [고시] 등의 형식을 띤다. 대통령령은 국무회의를 거치는 등 부령·총리령보다 보다 엄격한 절차를 거치며, 따라서 법률에서도 국민의 권리와 의무에 큰 영향을 미치는 사항은 대통령령에, 비교적 세부적이고 전문적인 사항은 부령·총리령에 위임한다. 또는 법률이 대통령령에 위임한 것에 대하여, 대통령령이 대략적인 내용만 규정하고 세부적인 내용은 부령·총리령에 다시 위임할 수도 있다.
 가령, 위에서 살펴본 바와 같이 반려동물의 직접 진료를 금지하는 것은 국민의 권리와 의무에 비교적 큰 영향을 미치는 사안이며, 이는 대통령령인 [수의사법 시행령]을 개정하여야 했던 사안이었다. 반면 4종 종합 백신이 수의사 처방 대상이 되는 것은 비교적 세부적이고 전문적인 내용이며, 이는 농림축산

식품부장관 소관의 부령인 [처방대상 동물용의약품 지정에 관한 규정]의 별표를 개정함으로써 변경이 가능했다.

2. 수의사의 직접진료와 진료범위

김명의 수의사의 명의동물병원에 이동주씨가 상담을 받으러 왔다. 이동주씨는 반려견 순돌이가 구토를 하고 식욕이 없다며 상담을 청했다. 김명의 수의사는 직접 순돌이를 보지 않았으므로 정확하게 진단할 수는 없지만 일반적인 급성위염 증상으로 보인다고 조언하였다. 이동주씨는 김명의 수의사에게 급성위염에 쓰는 약을 달라고 부탁하였고, 김명의 수의사는 동물보건사 박조무씨에게 항구토제를 조제해 줄 것을 지시하였다.

며칠 후 이동주씨는 순돌이의 상태가 갑자기 악화되었다며 순돌이를 데리고 명의동물병원에 내원하였다. 박조무씨는 김명의 수의사의 지시로 순돌이의 방사선촬영과 채혈을 하였다.

1. 김명의 수의사의 행위

가. 항구토제 처방행위

김명의 수의사는 이동주씨의 설명만을 듣고 순돌이에 대한 약을 처방하였다.

　[수의사법] 제12조 제1항은 "수의사는 자기가 직접 진료하거나 검안하지 아니하고는 진단서, 검안서, 증명서 또는 처방전을 발급하지 못하며, [약사법] 제85조 제6항에 따른 동물용 의약품을 처방·투약하지 못한다."라고 규정하고 있다. 그리고 제12조의2 제1항은 "수의사는 동물에게 동물용 의약품을 투약할 필요가 있을 때에는 동물의 소유자 또는 관리자에게 처방전을 발급하여야 한다. 다만, 자신이 직접 처방·투약하는 경우는 제외한다."라고 규정하고 있다.

　이 두 규정을 종합하면, 수의사는 자신이 직접 진료하고 처방전을 발급하여야 하고, 직접 처방·투약하는 경우에는 처방전 없이 처방·투약이 가능하지만, 이 경우에도 수의사가 직접 동물을 진료하여야 한다는 것이다. 다만, 최근 동물보건사 제도가 도입되면서 약물 도포, 경구투여 등은 동물보건사에게 일임할 수 있다.

　김명의 수의사는 이동주씨의 설명, 즉 이동주씨와의 문진만으로 순돌이에 대한 처방을 하였고 처방전을 별도로 발급하지 않았다. 김명의 수의사가 직접 처방을 하였으므로 처방전을 발급하지 않은 것은 문제가 없지만, 이동주씨와의 문진만으로 처방이 가능한지가 문제가 된다. 다시 말해서 보호자와 문진만 한 것을 수의사의 '진료'로 볼 수 있는지의 문제이다.

　이에 대하여 명확한 판례가 있는 것은 아니지만, 법제처는 위

조항에 대하여 유권해석을 내놓은 바 있다. 이에 따르면 [수의사법] 제12조 제1항은 수의사가 동물을 직접 진료할 것을 규정하고 있으므로, 동물과 직접 대면하여 시진·촉진 등을 하지 않고 보호자의 설명만 듣고 진단을 하는 것은 동물을 직접 진료한 것에는 해당하지 않으므로, 처방전을 발급할 수 없다고 하였다.

이는 [수의사법] 제12조 제1항의 '진료'의 의미를 포괄적으로 이해한 것이 아니라 동물을 대면한 '직접적인 진료'로 좁게 해석한 것이다. 수의사의 문진 자체는 당연히 진료행위에는 해당하지만 수의사법 제12조에서의 '진료'는 그에 더해 동물을 대면할 것을 요하는 좁은 의미가 되는 것이다. 이에 따른다면 김명의 수의사는 [수의사법] 제12조를 위반한 것이다.

나. 박조무씨의 행위의 교사

박조무씨는 아래에서 살펴보겠지만 수의사법과 약사법을 위반하였다. 박조무씨가 항구토제를 조제하고 방사선촬영, 채혈 등을 한 것이 위반행위가 된다.

그런데 박조무씨의 이런 행위는 김명의 수의사의 지시에 의해 이루어졌다. 그러므로 김명의 수의사도 박조무씨와 동일한 책임을 부담한다.

2. 박조무씨의 행위

가. 항구토제의 조제행위

박조무씨는 김명의 수의사의 지시로 항구토제를 직접 조제하였다. [약사법] 제23조 제1항은 "약사 및 한약사가 아니면 의약품을 조제할 수 없으며, 약사 및 한약사는 각각 면허 범위에서 의약품을 조제하여야 한다."고 규정하고 있다. 그러므로 약사가 아니면 의약품을 조제할 수 없다.

다만 수의사의 경우는 [약사법] 부칙 제8조에 의해 수의사 자신이 치료용으로 사용하는 동물용 의약품의 조제는 가능하도록 예외를 인정하고 있다. 그러므로 김명의 수의사가 순돌이를 위해 항구토제를 조제하는 경우에도 김명의 수의사가 직접 조제하여야 하며, 박조무씨가 조제한 행위는 위 [약사법] 제23조를 위반한 행위가 된다.

나. 방사선촬영, 채혈 행위

박조무씨는 김명의 수의사의 지시로 순돌이의 방사선촬영과 채혈을 하였다. [수의사법] 제10조는 "수의사가 아니면 동물을 진료할 수 없다."라고 규정하고 있다. 그리고 진료행위에 대해서 대법원은 2007도6394 판결에서, '동물의 진료 또는 예방'이라 함은 수의학적 전문지식을 기초로 하는 경험과 기능으로 질환·처방·투약 또는 외과적 시술을 시행하여 하는 질병의 예방 또는 치료행위라고 판시하였다. 또한 인의(人醫)의 '의료행위'

에 대한 판결이기는 했지만 대법원은 87누117 판결에서, 방사선촬영과 가검물채취 행위에 대해서는 [의료법]상의 의료행위로 인정하였다.

이러한 대법원 판례의 입장을 고려하면 박조무씨의 방사선촬영과 채혈 행위는 동물에 대한 진료행위에 해당한다. 그러므로 이는 [수의사법] 제10조를 위반한 것이 된다.

3. 전화 진료의 성질

김명의 수의사는 산업동물들을 진료하는 명의동물병원을
운영하고 있다. 김명의 수의사는 농장주들의 요청이 있을
때 직접 농장에 방문하여 진료를 하는 것 외에도, 농장주들
이 전화로 간단한 증상에 대해서 문의를 하면 응대도 해주
었다. 처방전을 전자로 발송해주기도 하였고, 처방이 필요
없는 경우라면 자가처치법을 알려주거나 상담을 해주는 식
이었다.

그런데 김명의 수의사의 이러한 전화 응대에 대하여 관청
에서는 수의사법 위반이라는 이유로 50만원의 과태료를 부
과하였다. 직접 진료를 하지 않고 처방전을 발급하였다는
것이 그 이유였다. 하지만 김명의 수의사는 농장주들로부터
전화로 환축에 대한 설명을 듣고 처방전을 발급해준 것이
며, 설명을 들은 것은 문진을 한 것이므로 자신은 환축을
직접 진료를 하고 처방전을 발급해준 것이라고 생각된다.

1. 직접 진료 의무

[수의사법] 제12조 제1항은 수의사가 직접 진료한 동물에 대해서만 처방전 등을 발급해줄 수 있도록 직접 진료 의무를 부과하고 있다. 이는 수의사의 진료행위는 동물의 건강에 직접적인 영향을 미치므로, 수의사가 다른 매개체 없이 동물로부터 진료를 위한 정보를 직접 획득하도록 하기 위함이다.

그런데 김명의 수의사는 환축에 대하여 시진, 촉진, 청진 등을 한 것은 아니더라도, 전화로 문진은 한 것이고, 문진도 진료의 일종이므로 직접 진료한 것이라고 생각하고 있다. 실제 사람의 인의(人醫) 분야에서는 전화로 환자에게 설명을 들은 후 처방전 등을 발급하는 전화 진료가 인정되는 경우도 있으며, 특히 코로나 사태에서는 전화 진료가 많이 활용되고 있다. 그렇다면 같은 논리로써 김명의 수의사는 [수의사법]상의 직접 진료를 한 것일까?

2. 수의 진료에서의 '직접 진료'의 의미

인의 분야에서 전화를 통한 진료가 예외적으로 인정된다고 하더라도, 그것을 수의 분야에 그대로 적용할지는 별개의 문제이다. 인의에서의 법적용을 수의에도 그대로 적용할 수 있으려면 각 진료 과정이 완전히 동일해야 할 것이기 때문이다.

우선, 사람에 대한 문진은 환자로부터 환자의 상태, 증상 등을

직접 들을 수 있다. 즉 환자가 다른 매개체 없이 자신의 증상 등을 직접 의료인에게 전달하는 것이 가능하다. 그리고 인의의 경우, 예외적인 전화 진료가 인정되는 경우에도 문진만을 하고 바로 처방전을 발급하는 경우가 아니라, 시진, 촉진, 청진 등을 병행하여 진료를 한 후 추가적으로 처방전이 더 필요할 때 전화 진료로 처방전을 발급하는 것이 인정된다.

인의에서도 이와 같은 전제 조건 하에서 전화 진료가 예외적으로 인정되는데, 이에 반하여 수의에서는 이러한 전제 조건이 결여되는 문제가 있다. 수의에서의 문진은 환축이 직접 설명하는 것이 아니라, 농장주 등 소유자가 동물의 증상, 행동 등을 관찰하고 소유자가 관찰한 사실을 수의사에게 전달하는 구조이다. 즉, 수의의 문진이란 환축이 아닌 소유자와의 문진이며, 그것은 소유자의 주관이 개입된, 소유자의 시진, 촉진, 청진의 결과를 수의사에게 전달하는 의미이다. 이와 같이 정보의 전달이 직접 이루어지지 않고 소유자의 평가가 개입된다는 점에서 인의의 문진과 수의의 문진을 동일한 의미를 갖기 어렵다.

3. 매개체가 개입된 문진에 대한 판례

동물에 대한 진료에 대해서는 판례가 거의 없는 실정이다. 하지만 동물에 대한 문진과 유사하게, 의료인이 감옥의 수감자들을 직접 문진한 것이 아니라, 교도관들을 통하여 수감자들의 상태를 전달받아 그에 근거하여 처방전 등을 교부한 사안이 있

는바, 이는 교도관이라는 매개체에 의해 전달된 정보에 의해 문진이 이루어진 것에서 동물에 대한 문진에 유추적용할 수 있다. 이에 대해서 대법원은 2014도12608 판결에서, 의료인은 교도관들이 수용자들을 대신하여 병원에 찾아오면 종전의 처방전이나 진료기록만을 보고 의약품을 조제·교부한 것으로 수용자들을 직접 진찰하였다고 볼 수 없다라고 판단하였다.

이 대법원 판례의 사안은 동물에 대한 진료와 유사한 방식의 진찰에 대하여 '직접 진찰'에 해당하지 않는다고 판단한 것이다. 이러한 대법원 판례의 법리를 적용한다면, [수의사법] 제12조 제1항의 '직접 진료'는 소유자가 환축의 정보를 전달하는 경우가 아닌, 수의사가 직접 환축을 시진, 촉진, 청진 등을 할 수 있는 대면 진료로 한정된다고 하겠다.

법제처도 수의사의 직접 진료를 규정한 [수의사법] 제12조 제1항의 유권해석에서도(안건 15-0677), 동일한 취지에서 동물에 대한 '직접 진료'는 대면 진료에 한정된다는 취지의 유권해석을 한 바 있다.

4. 과태료 기준

그렇다면 수의사가 직접 진료 규정을 위반한 경우는 어떤 제재가 따르게 될까? 이에 대해 [수의사법]에서는 1회 위반에 대

해서는 과태료 50만원, 2회 위반은 75만원, 3회 이상에서는 100만원이 각 부과된다.

4. 진단서의 발급과 주체

김명의 수의사의 24시명의동물병원에 이동주씨가 반려견 순돌이를 데리고 내원하였다. 김명의 수의사는 순돌이를 복막염으로 진단하고 그에 따라 약물을 처방, 투약하였다. 이동주씨는 김명의 수의사에게 순돌이에 대한 진단서를 발급해달라고 요청하였다.

김명의 수의사는 이동주씨가 자신의 진료를 믿지 못하는 것 같아 기분이 상하기도 하고, 진단서를 발급해주면 혹시 나중에 순돌이의 건강상태가 나빠지는 경우 불리하게 작용할 수 있을 것이라 생각하였다. 김명의 수의사는 진단서는 수의사의 고유한 업무 영역이므로 발급해줄 수 없다고 거절하였다. 이동주씨와 약간의 다툼이 있었지만, 일단 이동주씨는 진단서를 받지 못하고 돌아갔다.

그리고 저녁 늦게 이동주씨는 다시 24시명의동물병원을 찾았다. 김명의 수의사가 퇴근한 후 진료를 보고 있던 박대진 수의사에게 이동주씨는 다시 순돌이에 대한 진단서를 발급해달라고 요청하였다. 박대진 수의사로부터 연락을 받은 김명의 수의사도 어쩔 수 없다고 생각하고 진단서를 발급해줄 것으로 지시하였다. 박대진 수의사는 순돌이에 대한 진

> 료부 기록을 보고 진단서를 작성하여 발급해주었다.

　진단서는 진료행위에서 빠질 수 없는 요소이지만, 진료를 하면서 발급하지 않는 경우가 많다. 수의사에게는 진단서를 발급할 의무가 있는지, 있다면 어떻게 발급해야 하는지 김명의 수의사와 박대진 수의사의 경우로 각각 나누어 살펴보자.

1. 김명의 수의사의 경우

　[수의사법] 제12조 제3항은 "수의사는 직접 진료하거나 검안한 동물에 대한 진단서, 검안서, 증명서 또는 처방전의 발급을 요구받았을 때에는 정당한 사유 없이 이를 거부하여서는 아니 된다."라고 규정하고 있다. 수의사가 먼저 보호자에게 진단서를 발급해주어야 할 의무가 있는 것은 아니지만 보호자가 이를 요구할 경우에는 발급의무가 발생하는 것이다.

　김명의 수의사는 진단서를 발급해주는 것이 사후에 불리한 요소가 될 수 있다는 우려 때문에 진단서의 발급을 거부한 것이므로 위 규정에서 말하는 '정당한 사유'에 해당하지 않는다. 이와 같이 진단서의 발급을 거부하는 경우에는 [수의사법] 제41조 제2항에 의해 100만원 이하의 과태료가 부과될 수 있다.

2. 박대진 수의사의 경우

박대진 수의사는 자신이 직접 순돌이를 진찰한 것은 아니었으나, 김명의 수의사의 지시에 의해 김명의 수의사가 작성한 진료기록부를 보고 그 내용대로 진단서를 발급해주었다. 이러한 경우 [수의사법]에서는 어떻게 규정하고 있을까?

[수의사법] 제12조 제1항은 "수의사는 자기가 직접 진료하거나 검안하지 아니하고는 진단서, 검안서, 증명서 또는 처방전을 발급하지 못하며, [약사법] 제85조 제6항에 따른 동물용 의약품을 처방·투약하지 못한다. 다만, 직접 진료하거나 검안한 수의사가 부득이한 사유로 진단서, 검안서 또는 증명서를 발급할 수 없을 때에는 같은 동물병원에 종사하는 다른 수의사가 진료부 등에 의하여 발급할 수 있다."라고 규정하고 있다.

위 규정과 같이 진단서는 원칙상 해당 동물을 직접 진료한 수의사만이 발급할 수 있다. 박대진 수의사는 순돌이를 직접 진료한 것이 아니라 진료기록부만을 확인한 것이므로 진단서를 발급할 수 있는 주체가 되지 못한다.

다만 위 [수의사법] 제12조 제1항 규정은 '부득이한 사유'가 있는 경우에는 같은 동물병원의 다른 수의사가 발급해줄 수 있도록 예외를 인정하고 있다. 만일 김명의 수의사가 퇴근 후 부재하는 것이 위 규정에서 말하는 '부득이한 사유'에 해당한다면 박대진 수의사는 김명의 수의사를 대신하여 진단서를 작성해줄

수 있다.

여기에서 '부득이한 사유'의 의미에 대한 명확한 판례나 유권해석이 있는 것은 아니다. 그리고 '부득이한 사유'의 범위를 동물병원에서의 수의사 업무 현실을 고려하여 해석할 필요가 있다. 직접 진료한 수의사가 항시 병원에서 대기하는 것은 생각하기 힘든 일이며, 진료부 상의 진단명으로 진단서를 작성하는 것이 직접 진료한 수의사만이 할 수 있는 일은 아니고, 위 단서 조항을 규정한 입법의 취지는 진단서 작성을 용이하게 하려는 것으로 보이는 점 등을 고려하면, 위 '부득이한 사유'의 의미를 가능한 넓게 해석하는 것이 타당한 면이 있다. 그렇다면 박대진 수의사는 자신이 진료하지 않은 순돌이에 대해 진단서를 발급한 것이지만 이는 [수의사법] 위반이라고 할 수 없다.

반면 '부득이한 사유'의 범위를 비교적 엄격하게 해석하여 진단서 발급 주체를 한정하는 견해도 가능하다. [수의사법 시행규칙]에서는 수의사가 발급하는 진단서의 서식을 규정하고 있는데, 진단서에는 동물의 표시와 병명뿐만 아니라 예후에 대한 수의사의 소견과 기타 질병과 관련한 주요사항을 기재하도록 구성되어 있다. 예후 소견이나 기타 주요사항은 진료부 확인만으로 충분하지 않을 수 있기 때문이다. 이러한 해석을 한다면 박대진 수의사는 자신이 진료하지 않은 순돌이에 대한 진단서를 발급한 것이 되어, [수의사법] 제41조 제2항에 의해 역시 100만원 이하의 과태료가 부과될 수 있다.

3. 박대진 수의사가 진단서 발급을 거부할 수는 없었을까?

이와 별개로 박대진 수의사는 이동주씨에게 진단서 발급을 거절할 수는 없었을까?

[수의사법] 제12조 제3항은 '직접 진료한 동물'에 대한 진단서 발급을 요구받았을 때 담당수의사는 이를 거부하지 못한다는 의무를 규정한 것이다. 즉, 박대진 수의사는 직접 진료한 동물이 아닌 순돌이에 대해서는 진단서 발급 의무가 발생하지 않는다. 그러므로 박대진 수의사는 이동주씨에게 자신은 순돌이를 직접 진료한 것이 아니므로 진단서와 처방전을 발급할 수 없으며 다음 날 김명의 수의사에게 다시 요구하라고 대처하는 것이 가능하다.

5. 진단서 발급 거부와 허위작성의 제재

김명의 수의사가 운영하는 명의동물병원에 이동주씨의 반
려견 순돌이가 교통사고를 당하여 응급으로 내원하였다. 순
돌이는 고개를 길게 빼고 숨을 쉬면서 숨쉬는 것을 어려워
하였으나 청진 결과 수포음이 명백하지 않았고 객혈 증상도
없었기 때문에 김명의 수의사는 순돌이를 경증의 폐좌상으
로만 판단하였다. 하지만 순돌이는 중증의 폐좌상이었으며,
폐수종도 동반된 상태였다. 김명의 수의사는 일단 순돌이를
안정을 취하게 하면서 양압환기 처치를 하였으나, 순돌이는
결국 호흡곤란으로 사망하였다.

이동주씨는 김명의 수의사가 적절한 처치를 한 것인지 의
심이 들었다. 이동주씨는 김명의 수의사에게 순돌이에 대한
진단서를 발급해줄 것을 요청하였다. 김명의 수의사는 이동
주씨가 자신을 의심하는 것이 기분 나쁘기도 하였지만 진단
서를 발급해주면 나중에 이를 근거로 법적 책임을 물을 것
이 걱정되었다. 김명의 수의사는 진단서는 수의사의 업무상
비밀사항이라며 발급을 거부하였다.

이동주씨는 얼마 후 경찰을 대동하여 명의동물병원에 찾아
와 다시 진단서 발급을 요청하였다. 김명의 수의사는 이번

에는 진단서를 작성해주었지만, 순돌이를 중증의 폐좌상으
로 진단하고, 기관확장제와 이뇨제 등을 투여한 것처럼 진
단서를 작성하였다.

1. 김명의 수의사의 위법행위의 내용

김명의 수의사가 순돌이의 상태를 잘못 판단하고 그에 따른
민사상의 손해배상책임을 지는 것은 별론으로 하되, 김명의 수
의사는 진단서의 발급을 거부하였다가 나중에는 허위의 내용으
로 작성하였다.

관련하여, 진료기록부의 발급을 거부한 것은 현행 [수의사법]
하에서는 법률에 위배되지 않는다. 반면, [수의사법] 제12조
제3항은 수의사는 진단서의 발급을 거부할 수 없도록 규정하고
있으므로, 김명의 수의사가 이동주씨에게 진단서의 발급을 거
부한 것은 [수의사법] 위반에 해당한다. 그리고 허위로 진단서
를 작성한 것도 마찬가지로 [수의사법] 위반에 해당한다.

2. 구체적 제재 기준

[수의사법] 제41조 제2항은 수의사의 진단서 발급 거부행위

와 허위 내용의 진단서 발급행위에 대하여 100만원 이하의 과태료를 부과하도록 규정하고 있고, [수의사법] 제32조 제2항은 허위 내용의 진단서 발급 행위에 대하여 추가적으로 1년 이내의 면허정지를 할 수 있도록 규정하고 있다. 그래도 인의(人醫)의 [의료법]상 의사가 진료기록부나 진단서의 발급을 거부하는 경우 500만원 이하의 벌금에 처하도록 하고 있고, 진단서를 허위로 기재하는 경우는 [형법]에서 3년 이하의 징역 또는 3천만원 이하의 벌금으로 규정하고 있는 것에 비하면, 비교적 가벼운 처벌에 해당한다고 할 수 있다.

그리고 [수의사법 시행령]은 위 과태료의 구체적인 기준을 설정하고 있는데, [수의사법 시행령]은 법률이 아닌 대통령령이지만 수의사에게도 구속력을 가진다.

진단서 발급을 거부한 행위에 대하여는, 1회 위반의 경우는 20만원, 2회의 경우는 40만원, 3회 이상은 80만원을 부과한다. 다만 부과권자인 농림축산식품부장관은 위반행위의 정도, 동기 등을 고려하여 절반까지 금액을 늘릴 수 있다.

진단서를 허위로 작성한 행위에 대하여는, 1회 위반의 경우는 50만원, 2회 75만원, 3회 이상은 100만원을 부과하며, 역시 마찬가지로 절반까지 금액이 늘어날 수 있다. 그리고 면허정지와 관련하여서는 1회 위반의 경우는 3개월, 2회 6개월, 3회 이상은 12개월의 면허정지에 처해진다.

6. 수의사법 개정에 따른 수술 동의와 비용 고지

김명의 수의사의 명의동물병원에 이동주씨가 반려견 순돌이를 데리고 내원했다. 순돌이의 호흡곤란에 대해 김명의 수의사는 창상에 의한 기흉으로 진단하여 응급수술을 하기로 하였다.

김명의 수의사는 이동주씨에게 순돌이의 상태와 수술 필요성, 수술 후 발생 가능한 부작용 등에 대하여 설명하면서 수술비용으로 100만원이 소요될 것이라고 설명하였고 바로 수술에 들어갔다.

그런데 김명의 수의사는 응급수술 중 순돌이가 폐좌상도 입은 것을 추가로 발견하였다. 김명의 수의사는 기흉 수술에 추가하여 양압환기, 수액 요법과 기관지확장제 등을 처치하였다.

응급수술 후 김명의 수의사는 이동주씨에게 기흉 수술과 폐좌상에 대한 추가 치료를 포함하여 150만원을 청구하였다. 그러나 이동주씨는 당초 100만원의 비용만 고지하였으므로 100만원만 지급하겠다며 추가 50만원의 비용을 거부하였다. 또한 김명의 수의사가 수술 전에 수술동의서를 받지 않은 것과 추가 비용을 청구하는 것은 수의사법 위반이

김명의 수의사는 이동주씨에게 수술 전에 수술 필요성 등에 대해 설명하였으나 수술동의서는 받지 않았다. 그리고 수술 전 수술비용을 고지하였으나 수술 중 추가진료를 하고 추가 비용을 청구하였다. 이와 같은 상황에서 2022년 개정 [수의사법]은 어떻게 적용될까?

1. 수술동의서 작성

[수의사법] 제13조의2에 따라, 수술, 수혈 등 중대진료를 하는 경우 수의사는 보호자에게 치료 내용을 설명하고 동의서를 받아야 한다. 수의사법은 이러한 의무의 대상이 되는 진료를 '수술 등 중대진료'라고 칭하였고, 그 구체적인 범위는 [수의사법 시행규칙] 제13조의2 제1항에서 전신마취를 동반하는 내부 장기·뼈·관절에 대한 수술과 전신마취를 동반하는 수혈로 규정하고 있다. 그리고 설명의 대상은 [수의사법] 제13조의2 제2항에서 규정하고 있는데, 동물에 대한 진단명, 수술 등 중대진료의 필요성 및 내용, 수술 등 중대진료에 발생 가능한 후유증, 수술 등 중대진료 전후 보호자의 준수사항이다.

그런데 김명의 수의사는 이동주씨에게 수술에 대해 설명하였으나 동의서를 받는 것은 누락하였다. 하지만 당시 순돌이는 응급상황이었다. [수의사법] 제13조의2 제1항은 응급상황에서는 수술 후에 사후적으로 설명을 하고 동의서를 받는 것이 가능하도록 규정하고 있다. 그러므로 김명의 수의사는 수술 후에 이동주씨에게 동의서를 요청하는 것이 가능하다. 혹여 이동주씨가 동의서 작성을 거부한다고 하더라도 김명의 수의사는 사전에 설명을 하고 수술을 진행하였으므로 수술 후 동의서 작성을 요청한 것으로 법적 의무를 다한 것으로 보아야 한다.

만일 김명의 수의사가 수술동의서를 사후적으로도 요청하지 않는다면 이동주씨의 항의처럼 100만원 이하 과태료가 부과될 것이다.

2. 예상 진료비 고지 및 추가 진료비

[수의사법] 제19조에 따라, 수술 등 중대진료를 하는 경우 예상되는 진료비용을 사전에 고지해야 한다. 위 설명 및 동의서 작성 의무의 대상이 되는 수술 등 중대진료의 대상과 예상 진료비용을 고지할 의무의 대상은 동일하다.

김명의 수의사도 이에 따라 수술 전에 이동주씨에게 수술 필요성과 예상 수술비용 등을 설명하였다. 다만 이동주씨는 김명의 수의사가 100만원의 수술비용을 고지하였음에도 수술 후 150만원을 청구하는 것이 [수의사법] 제19조 위반이라고 주장

하고 있다.

 하지만 김명의 수의사는 기흉 수술에 50만원을 추가하여 청구하는 것이 아니라, 수술 중 폐좌상을 발견하여 추가 처치한 내역 50만원을 추가 청구하는 것이다. [수의사법] 제19조 제1항은 수술 등 중대진료 과정에서 진료비용이 추가되는 경우에는 중대진료 이후에 진료비용을 변경하여 청구하는 것이 가능하도록 규정하고 있다. 따라서 김명의 수의사 진료비 전액을 청구할 수 있다.

7. 수의사법과 진료비 책정

이동주씨는 반려견 순돌이를 데리고 가까운 일인동물병원에 내원하였다. 일인동물병원의 박일인 수의사는 순돌이의 대장에서 종양을 발견하고 수술과 입원설비를 잘 갖춘 명의동물병원으로 전원을 시켰다.

명의동물병원에는 진료항목별 비용표가 게시되어 있었는데, 입원비는 모니터링 비용과 ICU 비용을 포함하여 일당 30만원으로 책정되었다. 명의동물병원의 김명의 수의사는 순돌이를 입원시키고 종양제거수술을 하였다. 그 과정에서 김명의 수의사는 이동주씨에게 순돌이의 진단명과 종양제거 수술의 필요성 및 내용, 발생 가능한 후유증 등을 설명하고 수술동의서도 받았다. 그리고 수술비용은 200만원이며 입원비와 입원 중 처치비는 별도라고 설명하였다.

수술 후 이동주씨는 인터넷에서 진료항목별 진료비를 찾아보았다. 농림축산식품부에서 공개한 자료상 명의동물병원이 포함된 도시의 평균 입원비용은 10만원이었다. 그리고 이동주씨가 주위에 수소문을 해보니 대장 종양제거수술비는 평균 100만원 정도로 책정되어 있는 것을 알게 되었다.

김명의 수의사는 이동주씨에게 순돌이의 종양제거수술비

200만원과 1주일의 입원비용 210만원, 입원기간 중 처치·
약제비로 90만원을 각 청구하였다. 이동주씨는 명의동물병
원의 진료비 500만원은 과잉산정한 것으로서, 수술비 100
만원과 입원비 70만원만 인정할 수 있고, 입원기간 중 처
치·약제비 내역 중에는 불필요하게 반복된 부분이 있으므로
30만원만 인정하여, 200만원만 지급하겠다고 하였다.

2022년 1월 4일 개정된 수의사법은 중대진료 설명 및 동의서
작성 의무, 예상 진료비용 고지 의무와 진료비용 게시 의무를
규정하고 있다. 그리고 개정 수의사법이 시행되면서 지역의 평
균 진료비 등을 쉽게 확인할 수 있게 되었다. 개정 수의사법이
김명의 수의사에게 적용된 내용과 함께 김명의 수의사의 진료
비 청구가 인정될 수 있을지 살펴보자.

1. 개정 수의사법의 적용 내용

김명의 수의사는 종양제거수술을 하기 전 이동주씨에게 수술
의 필요성 등과 수술비용을 고지하고 수술동의서를 받았다. 수
술 필요성 등을 설명하고 수술동의서를 받은 것은 [수의사법]
제13조의2에 따른 것이다.

그리고 진료비용을 고지한 것은 [수의사법] 제19조에 따른 것으로, 수의사는 수술 등 중대진료를 하는 경우 예상되는 진료비용을 사전에 고지해야 한다.

김명의 수의사는 명의동물병원에 진료항목별 비용표를 게시해 놓았으며, 입원비는 30만원으로 책정하였다. 이는 [수의사법] 제20조에 따른 것으로, 수의사는 진료항목별 진료비용을 게시하여야 한다. 그리고 [수의사법 시행규칙] 제18조의3은 의무적으로 게시하여야 할 항목을 구체적으로 정하고 있다. 의무 게시 대상은 초진·재진 진찰료와 상담료, 입원비, 개종합백신·고양이종합백신·광견병백신·켄넬코프백신 및 인플루엔자백신의 접종비, 전혈구 검사비와 그 검사 판독료 및 엑스선 촬영비와 그 촬영 판독료 등이다. 그리고 진료비 게시는 책자·인쇄물·벽보 등을 부착하거나, 홈페이지에 게시하는 방법으로 하여야 한다.

한편, 이동주씨는 인터넷에서 해당 도시의 평균 입원비가 10만원인 사실을 확인하였다. 이는 [수의사법] 제20조의4에 따른 것으로, 농림축산식품부는 동물병원의 진료비용 게시 현황을 조사할 수 있으며, 조사 결과를 일반에 공개할 수 있다. 그리고 [수의사법 시행규칙] 제20조에 따라, 농림축산식품부가 공개하는 대상은 전국 단위, 특별시·광역시·도 단위, 해당 시·군·구 단위의 최저·최고·평균·중간 비용이며, 이를 농림축산식품부의 홈페이지에 게시한다. 다만 농림축산식품부가 공개하는 진료비 중에는 현재 수술비는 포함되어 있지 않다.

2. 고가 및 중복 처치 진료비의 법적 효력

김명의 수의사는 수술비 200만원과 입원비 210만원, 입원 중 처치비 90만원을 각 산정하였다. 이에 대해 이동주씨는 지역 평균에 따라 수술비는 100만원이 타당하고, 입원비도 70만원이 타당하다고 주장하였다. 그 범위를 넘어서는 부분은 과잉산정된 비용이므로 무효라고 주장하는 것이다. 그리고 입원 중 처치비도 중복된 내역은 불필요한 부분이므로 역시 무효를 주장하고 있다.

김명의 수의사가 산정한 수술비와 입원비가 지역 일대의 평균 비용을 훨씬 넘어서는 것은 사실인데, 그렇다면 이와 같이 고액으로 책정된 비용은 무효라고 할 수 있는지, 그리고 입원 중 처치 내역에서 중복된 부분이 있는 경우도 역시 무효라고 할 수 있는지 여부가 문제된다.

고액으로 책정된 비용이 무효인지 여부를 판단하기에 앞서, 인의(人醫)에서의 진료비용과 수의(獸醫)에서의 진료비용의 차이점을 살펴볼 필요가 있다. 인의에서는 건강보험상 진료수가제를 시행하고 있어 진료항목별 진료수가가 정해져있다. 그리고 건강보험이 적용되지 않는 진료행위는 비급여 항목으로서 의료인이 재량에 따라 비용을 책정할 수 있다. 반면 수의에서는 진료수가제가 적용되지 않으므로, 수의에서의 모든 진료행위는 인의에서의 비급여 항목과 유사한 성격을 갖는다. 그러므

로 인의의 비급여 항목과 관련한 유사한 사례를 통해 김명의 수의사의 경우를 유추할 수 있겠다.

이와 관련하여 대법원은 95다3282 판결에서, 원칙적으로 진료비를 의료보험상 진료수가가 아닌 비급여 항목의 일반수가를 기준으로 산정하였더라도 그 진료비를 청구할 수 있고, 예외적으로 진료비가 환자의 궁박·무경험을 바탕으로 진료 내용에 비하여 현저하게 과다 산정된 것이라면 그 과다 산정된 진료비는 불공정한 법률행위로서 무효가 된다고 판시하면서도, 예외에 해당하는지는 엄밀하게 판단하였다. 유사 사례의 사안을 좀 더 구체적으로 살펴보면, 교통사고 상해 치료의 경우는 건강보험이 적용되지 않는데, 대학병원에서 그 진료비를 진료수가제에서 정하고 있는 금액으로 산정하지 않고 비급여 항목으로 산정하였고, 비급여 항목의 금액은 진료수가제의 금액보다 2배 이상 높게 책정된 사안이었다. 그리고 환자측은 진료수가제에 따라 산정한 금액을 초과한 부분은 무효라고 주장한 것이다.

이에 대해 대법원은 대학병원은 의료서비스의 질이 일반 병원보다 높다고 여겨지는 점과 환자가 전문적인 진료를 받기 위해 일반 병원에서 전원된 점 등을 고려할 때, 비급여 항목으로 책정한 금액이 진료수가제의 금액보다 2배 이상 높게 책정된 것만으로는 현저하게 과다 산정된 것으로 볼 수 없다고 한 것이다.

김명의 수의사의 경우에도 수술비와 입원비가 해당 지역의 평균 비용보다 2배 내지 3배 높게 책정되긴 하였으나, 명의동물

병원은 박일인 수의사의 일인동물병원보다 수술 및 입원 설비를 잘 갖추고 있는 점과 보다 전문적인 진료를 위해 전원 조치된 점 등에 비추어보면, 김명의 수의사가 청구한 진료비가 무효에 해당할 만큼 불공정하게 책정된 것이라 할 수 없을 것이다.

또한 입원 중 처치 내역에서 중복된 부분은 불필요한 진료로서 무효가 되는지 여부에 대해서도, 대법원은 위 판례에서, 의료행위는 담당 의사가 해당 환자의 구체적 상태에 따라 재량권을 갖고 치료를 하는 것이므로, 그 치료의 과잉 여부를 판단하기 위해서는 담당 의사의 소견보다 더욱 객관적이고 신빙성 있는 우월한 증거가 있어야 한다고 판단하였다. 그러면서 보험협회의 심사위원회가 과잉진료라고 판단한 것만으로는 중복된 진료가 과잉진료에 해당한다고 볼 수 없다고 하였다.

김명의 수의사의 경우에도 입원 중 처치 내역에 중복된 부분이 있다고 하더라도, 이는 김명의 수의사가 순돌이의 상태에 따라 재량권을 갖고 적절한 치료를 한 것이다. 그러므로 김명의 수의사의 치료가 과잉진료라고 하기 위해서는 적어도 구체적이고 객관적인 증빙으로 뒷받침되는 다른 수의사의 전문적인 감정이 필요할 것이고, 단순히 중복 진료가 반복되었다는 것만으로 과잉진료로서 무효라고 할 수 없을 것이다.

그러므로 김명의 수의사의 경우 지역 평균 진료비보다 2배 이

상의 진료비가 책정되었더라도 명의동물병원에서 보다 전문적인 진료를 기대할 수 있는 만큼 그것이 불공정한 진료비라고 할 수 없으며, 중복되는 처치가 반복된 부분이 있더라도 그것만으로는 역시 과잉진료로서 무효라고 할 수 없다.

8. 동물용 의약품 판매의 주의사항

명의동물병원의 단골인 이동주씨는 반려견 순돌이가 식욕이 없고 구토를 하자 김명의 수의사에게 전화를 걸었다. 이동주씨는 순돌이의 증상에 대해 설명을 하였고, 김명의 수의사는 순돌이가 급성 위염일 수 있다고 이야기해 주었다. 이동주씨는 그에 맞는 약을 달라고 하였고 김명의 수의사는 항구토제와 정장제 등을 처방, 조제하였다. 그리고 이동주씨는 퇴근길에 명의동물병원에 들러서 약을 구입해 돌아갔다.

김명의 수의사가 순돌이에 대한 처방전을 발급한 경우는 [수의사법] 위반에 해당한다. 법제처 유권해석에 따를 때 동물을 '직접' 진료하지 않고, 보호자와의 상담만으로 진단한 경우는 [수의사법]상의 [진료]에 해당하지 않기 때문이다.

그런데 김명의 수의사는 처방전을 발급해준 것이 아니라 순돌이가 복용할 약물을 판매하였다. 보호자가 요구한대로 항구토제 등을 판매한 경우는 처방전을 발급한 것이 아니므로 문제가

없을까?

[약사법] 제44조 제1항은 "약국 개설자가 아니면 의약품을 판매하거나 판매할 목적으로 취득할 수 없다."라고 규정하고 있는 반면, 예외적으로 제85조 제4항 본문에서 "[수의사법]에 따른 동물병원 개설자는 제44조에도 불구하고 동물 사육자에게 동물용 의약품을 판매하거나, 동물을 진료할 목적으로 제50조 제2항 단서에 따라 약국개설자로부터 의약품을 구입할 수 있다."라고 규정하고 있다. 수의사는 보호자에게 동물용 의약품을 판매하는 것은 원칙상 가능한 것이다.

그런데 [약사법] 제85조 제9항은 동물용 의약품을 판매하는 경우의 준수 사항을 하위법령에서 정하도록 하고 있고, 그 하위법령인 [동물용 의약품등 취급 규칙] 제22조 제1항 제5호는 "동물병원개설자는 [수의사법]에 따른 동물의 진료를 행한 후 동물용의약품을 판매하여야 하며, 약국개설자로부터 인체용 전문의약품을 구입하여 사용하는 경우에는 별지 제16호의2서식에 따른 수불대장을 비치하고 수불현황을 기록하여 이를 1년간 보존할 것"이라고 규정하고 있다. 즉, 수의사는 동물용 의약품을 보호자에게 판매할 수는 있으나, 동물용 의약품을 판매하는 경우에도 동물을 직접 진료한 후에 판매하여야 한다.

그렇다면 역시 법제처 유권해석에 따를 때 김명의 수의사는 순돌이를 직접 진료한 것은 아니라고 할 것이고, 그렇다면 이 동주씨에게 항구토제 등을 판매하는 것은 [약사법] 제85조 제9항을 위반한 것이다.

9. 약사의 동물용의약품 판매

이완판 약사는 동물용의약품 판매 약국을 운영하고 있다. 이완판 약사는 인터넷의 동물애호가 카페에 경구용 동물용의약품을 판매한다는 게시글을 올렸다. 보호자들이 이완판 약사에게 동물용의약품 구매를 문의하면 이완판 약사는 동물용의약품을 택배로 배송하였다. 인근에서 명의동물병원을 운영하고 있는 김명의 수의사는 이완판 약사로부터 동물용의약품을 구입한 후, 이를 증거로 이완판 약사가 수의사의 처방전 없이 동물용의약품을 판매한다면서 고발하였다.

수사기관에서 이완판 약사는 자신은 동물병원에 동물용의약품을 판매한 것 뿐이므로, 수의사의 처방이 없어도 되고 온라인으로 판매해도 문제가 없다고 항변하였다.

우선, 김명의 수의사가 이완판 약사에 대하여 고발한 내용, 즉 이완판 약사가 수의사의 처방 없이 동물용의약품을 판매하는 것이 위법한 것인지, 또 이완판 약사의 의약품 판매에 다른 문제는 없는지가 문제된다.

김명의 수의사는 스스로를 보호자인 것처럼 속여서 이완판 약사로부터 의약품을 구매하였고, 이완판 약사와의 통화내용을 몰래 녹취하였다. 이 과정에 김명의 수의사가 위법행위를 한 것은 아닌지 또한 문제된다.

이완판 약사가 김명의 수의사가 운영하는 동물병원에 동물용 의약품을 판매한 것은 사실인데, 동물병원에 의약품을 판매하는 경우는 특례가 있는지가 문제된다.

이에 대하여 각 경우를 살펴보자.

1. 이완판 약사의 동물용의약품 판매 가부

[약사법] 제44조 제1항은 약국개설자(약사)가 아니면 의약품을 판매할 수 없도록 규정하고 있다. 동물용의약품은 의약품의 특수한 형태 및 용도를 지칭하므로, 약사가 동물용의약품을 판매하는 것은 가능하다. 다만 약국개설자도 동물용의약품을 판매하기 위해서는 [동물용의약품등 취급규칙] 제3조에 따라 동물약국으로서 개설신고를 별도로 하여야 한다.

이완판 약사의 경우는 동물약국 개설신고를 필하였으므로 원칙적으로 동물용의약품을 판매하는 것은 가능하다. 다만 수의사의 처방전 없이도 이완판 약사는 동물용의약품을 판매할 수 있는 것일까?

[약사법] 제85조는 동물용의약품에 대한 특례를 두고 있다. [약사법] 제85조 제7항은 약국개설자의 경우 주사용 항생제와

주사용 생물학적 제제를 제외하고는 동물용의약품을 수의사의 처방 없이도 판매할 수 있도록 하고 있다. 이완판 약사는 경구용 동물용의약품을 판매한 것이므로 비록 수의사의 처방전 없이 판매한 것이라 하더라도 그 자체는 위법하다고 보기 어렵다. 다만 주사용 항생제와 생물학적 제재를 판매하였다면 [약사법] 위반에 해당하였을 것이다.

2. 이완판 약사의 판매 장소

[약사법] 제50조 제1항은 약국개설자는 그 약국에서만 의약품을 판매할 수 있도록 하고 있다. 별도로 외부에서 의약품을 판매하기 위해서는 시장·군수·구청장의 승인을 받아야 한다.

이완판 약사는 의약품을 약국에서 판매한 것이 아니라 택배를 통해 온라인에서 판매하였다. 그러므로 비록 김명의 수의사가 수의사의 처방전 없이 의약품을 판매한 것에 대하여 고발을 하였다고 하더라도, 이완판 약사는 온라인에서 의약품을 판매한 행위에 대하여 [약사법] 위반이 된다.

이에 대해 이완판 약사는 자신이 약국에서 의약품을 판매하지 않은 것은 맞지만, 동물병원에 판매하는 경우이니 굳이 약국에서만 판매해야 하는 것은 아니라고 주장하였다. 일반인이 의약품을 구입하는 경우는 오·남용을 방지하기 위해 약국에서 약사가 의약품을 판매해야겠지만, 동물병원에 판매하는 경우는 오·남용의 문제가 없기 때문에 반드시 약국에서 판매하지 않아도

된다는 주장이었다.

하지만 [약사법]이 이와 같이 의약품의 판매 장소를 제한하는 이유는 의약품의 오·남용 방지뿐만 아니라 보관과 유통과정에서 의약품이 변질·오염될 가능성을 차단하기 위한 것이다. 대법원 역시 2017도3406 판결에서, 이와 같은 이유로 이완판 약사와 유사한 사례에서 해당 약사의 주장을 받아들이지 않았다.

10. 수의사 아닌 자의 의료기기 사용

대동물수의사인 김명의 수의사는 가축인공수정사인 이수정 인공수정사와 막역한 사이이다. 이수정 인공수정사는 다른 인공수정사들과 차별화를 두기 위해 초음파 장비를 사용하고 싶어 한다. 이수정 인공수정사가 초음파 장비를 사용하여 가축의 임신 여부를 판별하는 것만으로도 농장주들에게 전문적이라는 인식을 주기 때문이었다. 하지만 이수정 인공수정사는 정확한 초음파 영상을 판독하기 어려워 김명의 수의사에게 도움을 요청하였다. 자신이 가축의 초음파를 보는 동안 옆에서 판독법을 알려달라는 것이었다. 그리고 초음파 장비는 임신 여부만을 보기 위해 사용할 것이고, 기타 가축의 질병이나 건강 상태를 보는 데는 전혀 사용하지 않을 것임도 분명히 하였다. 김명의 수의사는 평소부터 이수정 인공수정사와 막역한 사이이기도 하고, 이수정 인공수정사가 초음파 장비를 사용한다고 해서 자신에게 불이익을 줄 일도 없다고 판단하여 이수정 인공수정사의 부탁을 들어주기로 하였다.

수의사 아닌 자가 동물 진료행위를 하는 것은 [수의사법]에 의해 제재 대상이 된다. [수의사법] 제10조와 제39조는 수의사 아닌 자가 진료행위를 하는 경우 2년 이하의 징역 또는 2천만 원 이하의 벌금에 처하도록 규정하고 있다.

그런데 이수정 인공수정사의 경우는 동물을 치료하는 용도로 초음파 장비를 사용하는 것은 아니나, 임신 여부를 파악하기 위해 초음파 장비를 사용하는 것이어서 일반적인 경우와는 다소 차이가 있다. 또한 김명의 수의사가 이수정 인공수정사에게 진료행위를 하는 것을 알려주는 것이 아니라 임신 여부에 대한 초음파 영상 판독법만을 알려주는 것에서 역시 차이가 있어 보인다. 이와 같은 경우, 각 법률 규정과 판례는 어떻게 판단하고 있을까?

1. 초음파 장비를 임신가능성 판단 용도로만 사용하는 것도 의료기기에 해당할까?

[의료기기법]은 제2조에서 의료기기에 대하여 사람이나 동물에게 단독 또는 조합하여 사용되는 기구 등으로 정의하고 있으며, 의료기기를 사용하는 주된 목적 중 하나로 '임신을 조절할 목적'을 규정하고 있다. 그러므로 임신 여부를 판별하는 것 역시 의료기기의 주된 목적 중 하나인 만큼 임신을 판단하는 용도라면 초음파 장비뿐만 아니라 기타의 것도 의료기기에 해당한다.

관련하여, [의료기기법]은 의료기기취급자를 의사, 치과의사, 한의사, 수의사와 의료기기 제조업자 등으로 한정하고 있다. 의료기기취급자란 의료기기의 관리를 위해 규정한 개념으로서 일반인도 의료기기의 구입 자체가 불가능한 것은 아니지만, 수의사 등만 진료행위를 위해 의료기기를 취급할 것을 규정한 것이다. 즉, 법률은 의료기기는 원칙적으로 수의사 등이 사용하는 것으로 이해하고 있다고 하겠다.

2. 초음파 판독은 진료행위에 해당할까?

[수의사법]은 수의사 아닌 자의 진료행위를 금지하고 있기는 하지만 진료행위가 무엇인지에 대한 정확한 정의는 내리고 있지 않다. 그러므로 판례를 통하여 각 사례별로 진료행위의 범위를 확인해나가야 한다.

대법원은 2007도6394 판결에서, 진료행위의 의미에 대하여 수의학적 전문지식을 기초로 하는 경험과 기능으로 진찰, 검안, 처방, 투약 또는 외과적 시술을 시행하여 하는 질병의 예방 또는 치료행위라고 판시한 바 있다. 그리고 대법원은 2014도9607 판결에서, 진찰의 의미에 대하여는 과학적 방법을 써서 검사하여 환자의 용태를 듣고 관찰하는 것이라고 판시하기도 하였다.

이수정 인공수정사는 초음파 영상 판독을 위해 김명의 수의사의 도움을 필요로 하였던 만큼, 이는 수의학적 전문지식을 기

초로 하는 것이라 할 것이다. 또한 임신 여부의 판단은 과학적 방법을 써서 환자의 용태를 관찰하는 것으로서 역시 진찰에 해당한다고 하겠다. 그러므로 비록 이수정 인공수정사가 가축의 질병을 치료하는 용도로 초음파 장비를 사용한 것이 아니라고 하더라도 이는 진료행위에 해당한다고 할 것이다.

관련하여 헌법재판소는 한의사가 초음파 장비를 사용하여 성장판 검사를 한 2011헌바398 판결에서, 초음파 검사의 경우 그 시행은 간단하나 영상을 평가하는 데는 인체 및 영상에 대한 풍부한 지식이 있어야 함은 물론, 검사 중에 발생하는 다양한 현상에 대해 충분히 이해하고 있어야 하므로 영상의학과 의사나 초음파 검사 경험이 많은 해당과의 전문의사가 시행하여야 한다라고 판단한 바 있다. 성장판 검사를 하는 것도 직접적으로 치료를 하는 것에는 해당하지 않으나 역시 의료행위에 해당한다고 판단한 법리를 고려한다면, 이수정 인공수정사가 임신가능성 판단을 위해 초음파 장비를 사용하는 것은 진료행위에 해당한다고 하겠다. 그렇다면 이수정 인공수정사는 수의사 아닌 자로서 진료행위를 한 것이므로 [수의사법]을 위반한 것이다.

3. 김명의 수의사도 법률을 위반한 것일까?

김명의 수의사 자신이 동물 진료행위를 할 수 있더라도 이수정 인공수정사의 동물 진료행위에 도움을 주어서는 안된다. 그

리고 타인의 위법행위를 도와준 자는 역시 방조범에 해당한다. 그러므로 이수정 인공수정사에 비하여 위법성이 감경될 수는 있어도 김명의 수의사도 방조로서의 책임을 지게 된다.

II. 직원이 무료로 해준 간단한 처치

김명의 수의사의 명의동물병원에 평소 주요 고객인 이농주 씨에게 전화가 걸려왔다. 이농주씨의 젖소들의 발굽삭제를 해달라는 것이었다. 김명의 수의사는 발굽삭제를 직접 하지 않고 명의동물병원의 직원인 박장제씨를 보내기로 했다. 박 장제씨는 이농주씨의 젖소들의 발굽삭제를 해주었으나 고객 관리 차원에서 비용을 받지는 않았다. 하지만 박장제씨는 실수로 발굽을 과삭제하였고, 그 결과 젖소들에게 심한 통증이 유발되어 착유량이 떨어지기 시작했다. 이농주씨는 김 명의 수의사 때문에 손해를 보았다며, 김명의 수의사가 1천 만원을 손해배상해야 한다고 주장하고 있다. 설상가상으로 명의동물병원의 경쟁병원인 경업동물병원의 최경업 수의사 는 박장제씨가 발굽삭제를 한 것은 수의사법 위반이라며 경 찰에 고발장을 접수했다. 김명의 수의사는 손해배상과 수의 사법 위반에 대하여 책임이 있을까?

김명의 수의사는 무료로 발굽삭제를 해주다 발생한 손해까지 배상해준다는 것은 어쩐지 불합리하다고 생각할 수 있다. 또한 정작 발굽삭제를 한 사람은 김명의 수의사 자신이 아니라 박장제씨이므로 손해배상을 한다면 자신이 아닌 박장제씨가 해야 한다고 생각할 수도 있을 것이다.

그리고 김명의 수의사는 발굽삭제 같은 간단한 업무는 동물병원의 직원도 충분히 할 수 있고, 자신이 감독을 하는 상태에서 한다면 문제가 없을 거라고 인식했을 것이다.

김명의 수의사의 이런 생각은 법률적으로 합당한 것일까? 우선 수의사법부터 살펴보자.

1. 무면허 진료행위의 금지

[수의사법] 제10조는 "수의사가 아니면 동물을 진료할 수 없다."라고 규정하고 있다. 다만 여기에서의 '동물'은 자신이 사육하는 산업동물은 예외로 하고 있다.

발굽삭제는 동물을 진료하는 행위이다. 그러므로 김명의 수의사는 자신이 직접 발굽삭제를 하였어야 한다. 김명의 수의사가 발굽삭제를 하라고 박장제씨를 보낸 것은 박장제씨로 하여금 수의사법을 위반하도록 지시한 것이 된다. 이를 형법상 교사범이라 하는데, 실제 위반한 사람과 동일하게 처벌하도록 규정하고 있다. 그러므로 박장제씨뿐만 아니라 김명의 수의사도 [수의사법] 제10조를 위반한 것이다.

그렇다면 혹시 김명의 수의사가 옆에서 감독·지도를 하면서 박장제씨가 발굽삭제를 하는 것은 괜찮을까? 수의사법의 진료행위는 수의사가 감독하는 것만으로는 부족하고 수의사가 직접 진료를 하도록 규정한 것이다. 그러므로 설령 김명의 수의사가 박장제씨 옆에서 발굽삭제하는 것을 지도하였다 하더라도 수의사법 위반은 인정된다.

2. 김명의 수의사의 손해배상책임

가. 손해배상책임 인정 여부

이농주씨는 김명의 수의사에게 발굽삭제를 요청하였으므로 김명의 수의사가 직접 발굽삭제를 하였어야 한다. 위에서 본 바와 같이 김명의 수의사가 박장제씨를 보낸 것은 수의사법을 위반한 불법행위이다. 그리고 그 불법행위로 인해서 이농주씨에게 손해가 발생한 것이므로, 김명의 수의사는 불법행위에 의한 손해배상책임이 인정된다.

나. 호의관계

그렇다면 여기서 의문이 들 수 있다. 호의로 무료로 해준 진료도 손해배상을 해야 한다면 너무 가혹하지 않을까? 법률적인 계약이 아니라 호의로 해준 경우 손해배상책임이 일부 경감될

수는 있으나, 그렇다고 손해배상책임 자체가 없어지지는 않는다. 대가가 없다고 무책임한 진료를 할 수는 없는 것이다. 여기서 손해배상책임이 경감되는 정도는 제반사정을 종합적으로 고려하여 법관의 재량에 의해 정하게 된다. (편의상 경감비율을 20%로 인정한다면, 이농주씨의 전체 손해 1천만원에서 손해배상 금액은 800만원이 된다.)

다. 과실상계

이농주씨는 김명의 수의사가 아닌 박장제씨가 발굽삭제를 하는 것을 알고 있었고 이를 묵인하였다. 즉, 이농주씨의 손해가 발생하는 과정에서 이농주씨도 과실이 있었던 것이다. 그러므로 이농주씨의 과실 비율만큼 과실상계되어 손해배상책임이 감경된다. (편의상 이농주씨의 과실을 50% 인정한다면, 손해배상 금액은 400만원이 된다.)

라. 박장제씨에 대한 구상권

이농주씨의 손해는 김명의 수의사와 박장제씨가 공동으로 유발한 것이다. 박장제씨는 직접 발굽삭제를 하였고, 김명의 수의사는 박장제씨가 발굽삭제를 하도록 지시하였기 때문이다. 그러므로 이농주씨에 대한 손해배상 역시 김명의 수의사와 박장제씨가 공동으로 책임을 진다. 여기서 박장제씨의 책임 비율은

제반사정을 종합적으로 살펴서 정하게 된다. (편의상 박장제씨의 책임 비율을 50% 인정한다면, 김명의 수의사의 손해배상 금액은 200만원이 된다.)

　그런데 이농주씨는 박장제씨가 아니라 김명의 수의사에게만 손해배상을 요구하고 있다. 이와 같이 공동책임을 지는 경우, 김명의 수의사는 일단은 이농주씨에게 박장제씨의 책임 비율도 포함한 손해배상을 해주어야 한다. 그리고 차후 박장제씨에게 박장제씨의 책임 비율만큼을 청구할 수 있다. 여기서 김명의 수의사가 박장제씨에게 청구할 수 있는 권리를 구상권이라 한다.

3. 박장제씨의 책임

　위에서 본 바와 같이 박장제씨는 [수의사법] 제10조를 위반하였다. 그리고 박장제씨도 공동불법행위에 의한 손해배상책임이 인정된다.

12. 무면허진료행위 구체적 판결례

이간병씨는 김명의 수의사의 명의동물병원에서 동물보건사로 근무한 바 있다. 이간병씨는 명의동물병원에서 근무하면서 반려동물들에게 예방주사를 놓는 법과 인식용 마이크로칩을 주입하는 법을 어깨너머로 배울 수 있었다. 이간병씨는 명의동물병원을 퇴사하고 인근에 반려동물 분양업소를 창업하였다. 이간병씨는 분양하기 전에 이간병씨가 관리하는 반려동물에게 예방주사를 놓았고, 분양할 때에는 마이크로칩을 주입해주었으며, 분양 후에는 서비스로 반려동물 아로마테라피를 해주었다. 김명의 수의사는 이간병씨에 대해 무면허 진료행위를 한다는 이유로 고발하였다.

[수의사법] 제10조는 "수의사가 아니면 동물을 진료할 수 없다."라고 규정하고 있다. 그리고 진료행위에 대해서 대법원은 2007도6394 판결에서, "'동물의 진료 또는 예방'이라 함은 '수의학적 전문지식을 기초로 하는 경험과 기능으로 질환·처방·투약 또는 외과적 시술을 시행하여 하는 질병의 예방 또는 치료

행위"라고 판시하였다.

이간병씨는 ① 예방주사를 놓은 행위, ② 마이크로칩을 주입한 행위, ③ 아로마테라피를 해준 행위를 하였고, 이간병씨의 행위는 모두 수의사법상의 진료행위에 해당한다고 강한 의심이 드는 행동들이다. 각 행위에 대한 구체적인 판결례를 통해 법원의 판단을 살펴보자.

1. 예방주사를 놓는 행위

이간병씨는 분양 전 자신이 관리하는 반려동물의 예방주사를 놓았다. [수의사법 시행령]이 2016년 12월 30일 개정되면서 자신이 소유하는 반려동물에 대한 진료도 금지되었으므로, 예방주사를 놓는 행위가 진료행위라면 이간병씨는 수의사법 위반으로 의율될 것이다.

이와 관련하여 창원지방법원은 2018고단3609 판결에서, 주사기를 이용한 예방접종의 경우 수의사법상의 진료행위로 판단한 바 있다. 특히 해당 피고인의 경우는 반려동물 판매업을 하면서 수시로 예방접종을 하였고, 이에 대해 징역 8월에 집행유예 2년과 벌금 300만원을 선고받았다.

다만, 주사를 놓는 행위가 수의사법상 진료행위에 해당하는지는 아직 대법원의 확정된 판례가 있는 것은 아니다. 대법원은 의료법상 인의(人醫)의 의료행위에서는 주사를 놓는 행위를 의료행위로 보았으나, 수의사법상 진료행위는 의료법의 의료행위

와는 해석에 다소간의 차이가 존재하기 때문이다. 하지만 하급심 판례에서 예방주사를 수의사법상 진료행위로 보았다는 것은 주요한 판단근거가 될 것이다.

2. 마이크로칩을 주입한 행위

이간병씨가 마이크로칩을 주입한 행위도 진료행위가 될 수 있을까? 이에 대해서는 검찰은 마이크로칩을 주입한 행위가 진료행위에 해당한다고 판단하여 법원에 기소하였으나, 창원지방법원은 2006노1100 판결에서, 마이크로칩 주입은 진료행위에 해당하지 않는다고 판단하였다. 창원지방법원이 그와 같이 판단한 주요 이유는 마이크로칩은 치료 과정이 아니라, 소유주 및 혈통 등의 정보를 저장하는 과정이라는 것이었다.

이에 대해서는 논란이 많이 있었고, 특히 마이크로칩을 주입한 행위가 수의사법상의 진료행위에는 해당하지 않더라도 동물보호법상의 학대행위에는 해당할 것이라는 의견이 많았다. 그리고 위 판결 이후 [동물보호법]과 [수의사법]의 개정으로 이 문제는 입법적으로 해결되었다. [동물보호법 시행규칙] 제10조 제2항은 "등록대상동물에 무선식별장치를 체내에 삽입하는 등 외과적 시술이 필요한 행위는 소속 수의사에게 하게 하여야 한다."라고 하여, 마이크로칩 주입은 수의사만 수행하도록 새로이 규정한 것이다. 그에 발맞추어 [수의사법]도 제1조에서 수의사의 기능과 업무에 관한 수의사법의 목적이 동물의 건강증진을

포함하도록 하였다.

위 창원지방법원의 판결은 많은 수의사들에게도 널리 알려진 이슈된 판결이었지만, 그 이후 위와 같이 새로이 규정을 개정함으로써 입법적으로 해결하여, 현재는 동물보호법 위반으로 처리됨을 유의해야겠다.

3. 반려동물의 아로마테라피 행위

사람에게는 아로마테라피가 널리 퍼진 요법인데, 이를 반려동물에도 적용하는 경우도 있다. 이간병씨가 반려동물에게 아로마테라피를 한다면 이는 진료행위에 해당할까?

이에 대해서는 직접적인 판례가 있는 것은 아니지만, 창원지방법원은 2011노1777 판결에서, 의료인이 아닌 자가 사람에게 아로마테라피를 하는 것이 의료법상의 의료행위에 해당하는지에 대하여 판단하였다. 해당 판결에서는 아로마테라피는 혈액순환을 촉진시키고 근육을 풀어주는 수기요법에 해당할 뿐 의료행위에 해당하지 않는다고 판단하여 의료법 위반에 대하여 무죄를 선고하였다. 대법원은 의료법상의 의료행위를 수의사법상의 진료행위보다 다소 넓게 해석하고 있으므로, 사람의 아로마테라피가 의료행위에 해당하지 않는다고 판단하였다면 반려동물에 대한 경우도 동일하게 판단할 것으로 보인다. 그리고 마이크로칩 주입과는 달리 이를 학대행위 등 동물보호법 위반으로 보기는 어려울 것이다.

13. 마약류의 취급과 마약류통합관리시스템

> 김명의 수의사는 이동주씨의 반려견 순돌이의 고관절 수술을 하면서 케타민으로 전신마취를 하였다. 수술은 잘 마무리가 되었으나, 김명의 수의사는 별도의 진료기록부를 작성하지는 않았다. 그리고 김명의 수의사는 보유한 케타민이 모두 소진되어 다시 케타민을 추가 구입하였다. 그런데 케타민을 구입하면서 별다른 조치를 취하지는 않았다. 김명의 수의사의 케타민 취급에는 어떤 문제가 있는 것일까?

케타민은 마약류에 해당하는 약물이다. 마약류의 분류부터 마약류를 사용, 구입할 경우의 조치 사항들에 대하여 살펴보자.

1. 마약류와 마약류취급자

[약사법]에 따라 약을 분류를 하자면 의약품과 의약외품, 그리고 마약류로 구분할 수 있다. 그리고 [마약류 관리에 관한 법률]은 마약류를 다시 마약과 향정신성의약품, 대마로 구분한

다.

마약이란 양귀비, 아편, 코카잎 등과 이와 동일한 화학적 합성품을 말한다.

향정신성의약품은 오남용의 위험성이 마약에까지는 이르지 않지만, 오남용의 우려가 있고 신체적·정신적 의존성을 일으키는 약물을 분류해놓은 것이다. 여기에는 케타민, 졸라제팜, 바르비탈 등이 포함되어 수의사들이 자주 접하게 되는 약물들이 대거 포함되어 있다.

이러한 마약과 향정신성의약품은 의료용으로 사용이 허가된 품목이 있으므로, 수의사를 비롯하여 의사, 치과의사, 한의사 등은 마약류를 취급할 수 있다. 다만 대마는 의료용이 아니므로 마약류 취급자인 김명의 수의사도 대마는 취급할 수 없다.

2. 진료기록부 작성 의무

마약류 취급자인 김명의 수의사는 향정신성의약품인 케타민을 사용한 것은 문제가 되지 않는다. 다만 김명의 수의사는 순돌이의 수술 후 진료기록부를 별도로 작성하지 않았다.

[마약류 취급에 관한 법률] 제32조는 마약류를 사용하는 경우는 처방전을 발급하도록 하고 있으며, 수의사와 같이 직접 약물을 조제할 수 있는 경우에는 진료기록부를 작성하는 것도 가능하도록 규정하고 있다. 그리고 그 진료기록부에는 사용한 마약류의 품명과 수량을 적어야 하고, 2년간 보존하여야 한다.

진료기록부 작성 의무는 [수의사법]에도 규정하고 있는 것이므로, 김명의 수의사가 케타민을 사용하고 진료기록부를 작성하지 않은 것은 [수의사법]과 함께 [마약류 관리에 관한 법률]도 함께 위반한 것이 된다.

이와 같이 마약을 사용하고도 진료기록부를 작성하지 않으면 2년 이하의 징역 또는 2천만원 이하의 벌금, 향정신성의약품을 사용하고 작성하지 않은 경우는 1년이하의 징역 또는 1천만원 이하의 벌금에 처해진다. 마약이 향정신성의약품보다 위험성이 크므로 제재도 큰 것이다. 그리고 진료기록부를 작성하였다고 하더라도 이를 2년간 보관하지 않는 경우는 500만원 이하의 과태료 대상이다.

3. 마약류 구입, 사용에 따른 보고의무

[마약류 관리에 관한 법률] 제11조는 수의사를 포함하는 마약류 취급자에게 마약류를 취급하는 경우 이를 식약처에 보고해야 할 의무를 부과하고 있다. 마약류 취급자가 보고를 해야 하는 경우는 마약류를 투약, 구입하는 경우뿐만 아니라 마약류를 조제하는 경우, 양도양수, 폐기, 수거, 연구에 사용하는 경우까지 해당한다. 수의사는 마약류를 구입, 투약하는 경우뿐만 아니라 연구소 등에서 폐기, 연구하는 경우도 있으므로 주의가 필요하다.

수의사가 보고해야 할 사항은 취급한 마약류 자체에 대한 정보로서 마약류의 품명, 수량, 취급한 날짜, 구입처, 재고량과 일련번호를 보고해야 한다. 그리고 투약을 받은 동물의 보호자의 성명과 주민등록번호, 투약한 동물의 질병명, 취급한 수의사의 성명과 동물병원 명칭, 면허번호까지 보고사항에 포함된다.

이러한 보고를 해야 하는 기한은 사용한 품목에 따라 다소 차이가 있다. 인체용 마약류 중에서 식약처장이 공고하는 향정신성의약품은 취급 후 7일 이내에 보고해야 한다. 그런데 현재까지 식약처장이 공고한 향정신정의약품은 프로포폴을 주성분으로 하는 품목이다. 그 외의 향정신성의약품은 취급한 달의 다음 달 10일까지만 보고하면 된다.

이러한 보고를 하는 방법은 2018년 5월부터 마약류통합관리시스템이 운영되고 있다.

만일 이러한 보고의무를 위반하였을 경우, 마약류 취급자에게는 일정한 제재가 가해진다.

양귀비 같은 마약을 사용하고 보고하지 않는 경우는 2년 이하의 징역 또는 2천만원 이하의 벌금에 처해질 수 있고, 케타민 같은 향정신성의약품을 사용하고 보고하지 않은 경우는 1년 이하의 징역 또는 1천만원 이하의 벌금에 처해질 수 있다.

그리고 마약류취급자가 보고를 하였으나, 보고한 재고량과 실제 재고량에 차이가 있는 경우는 500만원 이하의 과태료에 처해진다.

14. 마약류 보관과 처리시 주의사항

> 김명의 수의사는 마취제로 사용하기 위해, 케타민을 보관하고 있다. 다만 별도의 보관장소가 아닌 일반적인 의약품과 함께 일반 수납장에 보관을 하였다. 김명의 수의사는 최근 케타민의 유효기간이 도과되었을 것으로 생각하여 폐기하려고 재고를 확인해보니 일부 케타민이 분실된 것을 발견하였다. 하지만 어차피 유효기간이 도과하여 폐기를 해야 하므로 별도의 조치 없이, 케타민을 하수에 흘려보내어 폐기 처분하였다.

케타민은 마약류 중 향정신성의약품에 해당한다. 그리고 향정신성의약품의 처리 방법에 대하여 [마약류 관리에 관한 법률]은 일정한 요건을 정하고 있다. 마약류 취급과 관련한 규정들을 알아두어서 혹여 마약류에 사고가 발생했을 때의 문제를 예방하는 것이 좋겠다.

김명의 수의사의 케타민 처리 과정을 ① 케타민을 일반 의약품과 함께 수납장에 보관한 것, ② 일부 케타민이 분실되었으

나 별도의 조치를 취하지 않은 것, ③ 케타민을 하수에 흘려보내어 폐기한 것으로 나누어 살펴보자.

1. 마약류의 보관방법

[마약류 관리에 관한 법률] 제15조와 시행규칙 제26조는 마약류의 저장방법에 대하여 규정하고 있다.

우선 저장시설에 대하여, 마약류 중 마약의 경우는 동물병원 내에서, 이중의 잠금장치가 설치된 철제 금고에서, 다른 의약품과 구별하여 저장하도록 하고 있다. 저장시설도 위와 같이 이중 잠금장치와 철제금고 등 엄격한 요건을 갖추도록 제한하고 있다.

향정신성의약품의 경우는 마약보다는 비교적 완화되지만 역시 일정한 요건을 갖추어야 한다. 동물병원 내에서, 잠금장치가 설치된 저장시설에, 다른 의약품과 구별하여 저장해야 하는 것이다.

수의사 등 마약류취급자가 위와 같은 요건을 갖추지 않은 저장시설에 마약을 보관하는 경우는 1년 이하의 징역 또는 1천만원 이하의 벌금에 처해지게 되며, 향정신성의약품을 보관하는 경우는 500만원 이하의 과태료에 처해진다.

김명의 수의사는 향정신성의약품인 케타민을 다른 의약품과 구별하지 않고, 잠금장치가 없는 일반 수납장에 보관하였다. 김명의 수의사와 같은 보관방식은 향정신성의약품의 저장시설의

요건을 미비하므로 500만원 이하의 과태료에 처해지게 된다.

 그리고 별도로 주 1회 이상 점검부를 작성하여, 저장시설 옆에 비치하면서 2년간 보존해야 한다.

2. 사고 마약류의 보고의무

 수의사 등 마약류취급자는 마약류를 사용할 경우 일정한 보고의무를 지며, 최근에는 마약류통합관리시스템을 통해 보고가 가능하다. 그런데 마약류를 사용하는 경우뿐만 아니라 보관하던 마약류가 상실, 분실, 도난, 변질, 부패, 파손된 경우에도 보고해야 할 의무가 있다.

 [마약류 관린에 관한 법률] 제12조 제1항과 시행규칙 제23조는 마약류에 위와 같은 사고가 발생한 경우, 해당 마약류의 제품명과 사고 발생일, 사고 사유, 처리 현황, 사고 수량과 재고량 등을 보고하도록 하고 있다. 이는 사고가 발생한 것을 안 날로부터 5일 이내에 해야 하며, 동물병원 개설신고를 한 관청에 보고하는 것이다.

 그리고 마약류관리에관한법률 시행규칙에서 정한 서식에 맞추어 보고서를 작성해야 하고, 첨부서류로 고의적으로 마약류를 빼돌린 것이 아니라 사고로 발생한 것임에 대한 증명서를 첨부하여야 한다. 그 증명서는 재해로 사고가 난 경우는 시·도지사가, 도난·분실의 경우는 경찰서장 등 수사기관이 발급한다.

 이와 같이 보관하는 마약류에 분실, 도난 등의 사고가 발생한

경우에는, 그 마약류가 악의적으로 유용될 가능성이 있어서 엄격한 보고 절차를 거치게 되는 것이다.

김명의 수의사는 케타민이 분실되는 사고가 발생하였으나, 어차피 유효기간이 도과하여 폐기해야 하므로 문제가 되지 않을 것으로 생각하여 분실사고의 보고를 하지 않았다. 이와 같이 사고가 발생하였음에도 불구하고 보고를 하지 않는 경우는, 500만원 이하의 과태료에 처해진다.

다만, 보고를 누락하는 것이 아니라 허위보고를 하는 경우는 더욱 처벌이 가중되는데, 마약에 대하여 허위보고를 하는 경우는 2년 이하의 징역 또는 2천만원 이하의 벌금을, 향정신성의약품에 대하여 허위보고를 하는 경우는 1년 이하의 징역 또는 1천만원 이하의 벌금에 처해진다. 허위보고를 하는 것은 더 마약류 오남용의 위험이 크므로 가중처벌의 대상이 되는 것이다.

3. 마약류의 폐기 방법

위와 같이 마약류는 그 보관 및 취급에 각별한 주의가 필요하다. 따라서 유효기간이 도과되는 등 사용이 불가능한 마약류라고 하더라도 그 폐기 방법도 법률에서 정하고 있다.

[마약류 관리에 관한 법률] 제12조 제2항에 따라 마약류를 폐기할 수 있는 경우는 마약류가 변질, 부패, 파손되거나 유효기간이 도과하거나 기타 관리가 불가능하게 되는 때이다.

그리고 수의사 등 마약류취급자는 마약류를 폐기하기 전에 동물병원 개설신고를 한 관청에 폐기신청서를 제출해야 한다. 그 신청서 양식 역시 [마약류 관리에 관한법률 시행규칙]에서 정하고 있다.

마약류취급자가 폐기신청을 하면, 관계공무원이 직접 해당 마약류가 폐기 대상인지를 확인한 후 폐기를 하게 되는데, 여기에서 마약류를 폐기하는 주체는 수의사가 아닌 공무원이 하는 것이므로, 수의사는 폐기할 마약류를 관계공무원에게 인계해주는 것으로 족하다.

그리고 폐기신청을 하지 않고 임의대로 폐기를 하는 경우는, 마약의 경우는 2년 이하의 징역 또는 2천만원 이하의 벌금, 김명의 수의사와 같이 향정신성의약품의 경우는 1년 이하의 징역 또는 1천만원 이하의 벌금에 처해진다. 이 역시 임의대로 폐기하는 경우는 마약류를 빼돌리거나 유용할 가능성이 있으므로 처벌 규정을 두고 제재를 하고 있다.

l5. 진료기록과 개인정보

김명의 수의사는 약 2년 전 이동주씨의 반려견 순돌이의 진료를 본 일이 있다. 그때 김명의 수의사는 순돌이에 대해 동맥관잔존증으로 진단하였고, 우선은 수술을 하지 않고 경과를 지켜보기로 하였다. 그 후 이동주씨는 내원을 하지 않다가 최근 2년여만에 다시 김명의 수의사의 명의동물병원을 내원하였다. 방사선영상에서 순돌이는 심각한 울혈성 심부전이 의심되었는데, 김명의 수의사는 2년 전 순돌이의 진료기록부 내용을 확인하고, 순돌이의 울혈성 심부전이 동맥관잔존증이 원인일 것으로 판단하였다. 그리고 순돌이에 대해 수술을 진행하기로 하였다.

그런데 이동주씨는 자신의 성명, 주소, 전화번호 등이 이미 보관기간이 지난 명의동물병원의 진료기록부에 그대로 남아있는 것을 알고는 김명의 수의사가 자신의 개인정보를 침해했다며 개인정보보호법 위반이라고 항의하였다. 김명의 수의사는 이동주씨의 개인정보를 침해하고 개인정보보호법을 위반한 것일까?

우리나라는 개인정보에 대한 민감성과 법률상 보호 장치가 매우 강한 편에 속한다. 개인정보에 대한 사회적 인식도 매우 높다. 이에 [개인정보보호법]은 필요한 최소한의 범위에서만 개인정보를 수집하고 처리하도록 하고 있다. 동물병원에서는 당연히 진료기록부를 작성하면서 개인정보를 수집, 이용하고 있는데, [개인정보보호법]과의 어떤 관계는 어떨까?

[개인정보보호법] 제15조는 정보주체의 동의를 받은 경우 외에도 법률에 특별한 규정이 있거나 법령상 의무를 준수하기 위해 불가피한 경우는 개인정보를 수집, 이용할 수 있도록 하고 있다.

동물병원에서 진료기록부를 작성하면서 동물보호자의 개인정보를 수집, 이용하는 것은 보호자의 자발적인 동의에 의한 경우가 대부분이다. 하지만 이러한 보호자의 동의가 없더라도, [수의사법]은 제13조에서 동물병원을 개설한 수의사는 진료기록을 남기도록 규정하고 있고, 진료기록부에 포함되어야 할 내용으로 [수의사법 시행규칙] 제13조는 진료 내용 외에도 해당 동물의 소유자의 성명과 주소도 진료기록부에 기록하도록 규정하고 있다.

따라서 수의사가 진료기록부를 작성하면서 개인정보를 수집, 취급하는 것은 [개인정보보호법]상 인정되는 일이다. 그리고 개인정보를 수집한 수의사는 당초 개인정보를 수집한 목적의 범위에서 개인정보를 이용할 수 있다.

그런데 [개인정보보호법] 제21조는 개인정보처리자는 보유기간의 경과나 개인정보 수집 목적의 달성 등의 경우에는 그 개인정보를 즉시 파기하도록 규정하고 있다. 그런데 동물병원의 진료기록부와 관련하여 문제가 되는 것은 진료기록의 보존기간에 대한 수의사법의 규정이다. [수의사법 시행규칙] 제13조는 수의사가 진료기록부를 보존하는 기간을 1년으로 정하고 있는 것이다. 1년을 보존기간으로 정하고 있으므로 1년이 경과하면 수의사는 동물보호자의 개인정보를 침해하게 되는 것일까? 만일 [수의사법]과 [수의사법 시행규칙]이 진료기록을 1년 이상 보존하도록 하고 있다면 김명의 수의사가 개인정보를 침해한 것이 아님이 법문상으로도 명백하겠지만, [수의사법 시행규칙]은 "1년간 보존하여야 한다."라고 정하고 있는 것이다.

[수의사법]과 유사한 구성의 [의료법]을 살펴보면, [의료법] 제22조와 [의료법 시행규칙] 제15조는 의료인은 진료기록부를 10년간 보존하도록 하고 있으며, 필요한 경우 1회 연장하여, 즉 20년간 보존할 수 있도록 하고 있다. 의료법상 진료기록부를 이와 같이 장기간 보존하도록 하는 것은, 추후에 진료 내용이 적합한 것이었는지를 판단하기 위한 자료로서뿐만 아니라, 진료기록을 통하여 환자의 병력을 파악하고 이를 통해 차회 진료를 정확하고 효율적으로 하기 위한 자료로서 보존하도록 하는 것이 그 입법취지라고 하겠다.

그런데 의료법상의 진료기록 보존기간은 수의사법상의 1년의

보존기간과 비교하여도 매우 큰 차이를 보이는 반면, 진료기록을 통해 환자의 병력을 파악하고 진료를 정확하게 하여야 하는 진료기록의 목적은 동일하다. 그렇다면 수의사법상 1년을 진료기록 보존기간으로 규정하고 있는 것은 1년만 보존하면 동물진료의 기록 목적을 달성할 수 있다는 것이 아니라, 의무적으로 진료의 적정성을 판단하기 위한 근거로서 최소한의 보존기간이 1년이고, 환자의 병력을 파악하여 차회 진료를 정확하게 수행하기 위한 목적은 1년으로 충족되는 것이라고 볼 수는 없을 것이다.

즉, [수의사법 시행규칙]상의 1년으로 수의사가 진료기록을 보존하는 목적이 달성되는 것은 아니며, [의료법]에는 20년까지 보존기간이 인정되는 것에 비추어 수의사도 그에 준하는 기간에서 병력 파악을 위한 진료기록의 사용목적은 남는다고 하겠다. 김명의 수의사도 순돌이의 2년전 진료기록을 볼 수 없었다면 울혈성 심부전에 대하여 동맥관잔존증을 원인으로 파악하기 쉽지 않았을 것이고, 1년이 도과한 진료기록이 차회 진료에 근거가 되는 경우 역시 흔한 일이다.

그리고 위에서 살펴본 바와 같이, [개인정보보호법]은 개인정보를 수집한 목적을 위해서는 개인정보를 보관, 이용할 수 있도록 하고 있다. 그리고 김명의 수의사는 1년이 도과하여 이동주씨의 개인정보를 갖고 있었으나, 그것은 순돌이의 병력을 파악하기 위한 진료기록부 자체의 목적을 위한 것이다. 그러므로

김명의 수의사가 이동주씨의 개인정보를 침해하거나 개인정보 보호법을 위반한 것이라 볼 수 없다.

iii.
동물병원 운영 관련

수의사의 생활법률

I. 동물병원 임대차계약의 묵시적 갱신 관련 주의사항

김명의 수의사는 6년전 서울에서, 임대차기간을 2년으로 하여 임차보증금 4억원, 월임료 600만원의 상가 임대차계약을 체결하고 명의동물병원을 개원하였다. 김명의 수의사 전에 상가를 사용하던 임차인인 이상인씨에게는 권리금으로 2억원을 지급했고, 동물병원 인테리어 비용으로도 2억원이 들었다. 김명의 수의사는 2년의 임대차계약기간이 만료된 때에도 임대차계약을 갱신할 것인지 여부에 대해 아무런 언급이 없었고, 임대인인 박건주씨 역시 임대차계약의 갱신 여부에 대해 아무 언급이 없었다. 그렇게 김명의 수의사는 처음 임대차계약과 동일한 조건으로 6년째 명의동물병원을 운영 중이며, 그간 밀린 임료는 없었다. 그러던 중 갑자기 임대인인 박건주씨는 김명의 수의사에게 임대차계약을 해지한다고 하면서 상가를 비울 것을 요구했다. 김명의 수의사는 임대차계약을 연장하여 더 명의동물병원을 운영하고 싶다.

김명의 수의사 입장에서는 동물병원 장소를 옮기면 기존 보호자들의 내원이 끊어질 수 있어서 여간 부담되는 일이 아니다. 그것도 그렇지만, 동물병원을 개원하면서 들인 권리금과 인테리어 비용을 모두 손실을 보는 것은 아닌지도 문제된다. 김명의 수의사는 상가를 계속 사용할 수 있는지, 사용할 수 없다면 권리금과 인테리어 비용은 보전받을 수 있는지 살펴보자.

1. 김명의 수의사는 상가를 비워줘야 할까?

김명의 수의사가 상가를 계속 임차하고 싶다면 계약갱신청구권을 행사할 수 있어야 한다. 이에 계약갱신청구권의 요건 등을 살펴보고, 임대차계약 갱신에 있어서 최근 판례와 관련한 주의사항을 알아보자.

가. 계약갱신청구권

[상가건물 임대차보호법(상가임대차법)] 제10조 제1항 본문은 "임대인은 임차인이 임대차기간이 만료되기 6개월 전부터 1개월 전까지 사이에 계약갱신을 요구할 경우 정당한 사유 없이 거절하지 못한다."라고 규정하여 임차인의 계약갱신청구권을 인정하고 있다. 계약갱신청구권이란 임차인이 현재 사용하고 있는 상가를 더 임차하고 싶으면 임대인에게 다시 임대차계약을 갱신하자고 청구할 수 있는 권한을 말한다.

이와 같이 계약갱신청구권을 행사하여 다시 체결된 임대차계약은 기존의 임대차계약과 내용이 동일하다. 김명의 수의사는 기존의 임대차계약이 2년의 기간으로 계약하였으므로 갱신된 임대차도 2년 기간으로 계약할 수 있다. 보증금이나 임대료도 기본적으로는 기존의 임대차와 동일하지만, [상가임대차법]에서 정한 범위에서 변경될 수 있다.

나. 계약갱신청구권 행사 기간

[상가임대차법]은 제10조 제2항에서 "임차인의 계약갱신요구권은 최초의 임대차기간을 포함한 전체 임대차기간이 10년을 초과하지 아니하는 범위에서만 행사할 수 있다."라고 규정하여, 10년의 기간동안만 인정하고 있다. 기존에는 계약갱신청구권을 행사할 수 있는 기간이 5년이었으나, 2018. 10. 16. 법이 개정되면서 10년으로 기간이 연장되었다. 그리고 2018. 10. 16. 이전에 체결한 임대차계약이라도 2018. 10. 16. 이후에 갱신되는 경우라면 역시 10년의 기간이 인정된다.

다. 임대인의 계약갱신청구권 거절사유

임차인이 계약갱신청구권을 행사할 수 있더라도 특정한 사유가 있는 경우는 임대인은 계약갱신을 거절할 수 있다. 위 [상가임대차법] 제10조 제1항은 임대인의 거절사유로서 다음과

같은 사유를 인정하고 있다.

> 1. 임차인이 3기의 차임액에 해당하는 금액에 이르도록 차임을 연체한 사실이 있는 경우
> 2. 임차인이 거짓이나 그 밖의 부정한 방법으로 임차한 경우
> 3. 서로 합의하여 임대인이 임차인에게 상당한 보상을 제공한 경우
> 4. 임차인이 임대인의 동의 없이 목적 건물의 전부 또는 일부를 전대(轉貸)한 경우
> 5. 임차인이 임차한 건물의 전부 또는 일부를 고의나 중대한 과실로 파손한 경우
> 6. 임차한 건물의 전부 또는 일부가 멸실되어 임대차의 목적을 달성하지 못할 경우
> 7. 임대인이 다음 각 목의 어느 하나에 해당하는 사유로 목적 건물의 전부 또는 대부분을 철거하거나 재건축하기 위하여 목적 건물의 점유를 회복할 필요가 있는 경우
>   가. 임대차계약 체결 당시 공사시기 및 소요기간 등을 포함한 철거 또는 재건축 계획을 임차인에게 구체적으로 고지하고 그 계획에 따르는 경우
>   나. 건물이 노후·훼손 또는 일부 멸실되는 등 안전사고의 우려가 있는 경우
>   다. 다른 법령에 따라 철거 또는 재건축이 이루어지는 경우
> 8. 그 밖에 임차인이 임차인으로서의 의무를 현저히 위반하거나 임대차를 계속하기 어려운 중대한 사유가 있는 경우

라. 특정 보증금 초과 상가에서의 주의사항

김명의 수의사는 6년째 상가를 임차하고 있고, 임대인의 갱신

거절사유에 해당하는 일도 없다. 그래서 김명의 수의사는 [상가임대차법]상 계약갱신청구권을 행사할 수 있는 것처럼 보인다.

하지만 김명의 수의사는 최초 2년의 임대차기간이 경과한 이후에 임대인과 갱신계약을 별도로 체결하지 않고 그대로 상가를 사용해왔다. 이러한 경우를 묵시적 갱신이라 하는데, 최근 대법원은 2021다233730 판결에서, 임대차계약이 묵시적 갱신된 경우 [상가임대차법]이 적용되는 경우와 [민법]이 적용되는 경우를 나누어 임대인의 해지권에 대해 크게 차이를 두어 판결하였다.

1) [상가건물 임대차보호법]에 의한 묵시적 갱신과 적용범위

[상가임대차법]이 적용되는 묵시적 갱신의 경우는 [상가임대차법] 제10조 제4항이 적용되는 경우이다. [상가임대차법] 제10조 제4항은 "임대인이 제1항의 기간 이내에 임차인에게 갱신 거절의 통지 또는 조건 변경의 통지를 하지 아니한 경우에는 그 기간이 만료된 때에 전 임대차와 동일한 조건으로 다시 임대차한 것으로 본다. 이 경우에 임대차의 존속기간은 1년으로 본다."라고 규정하고 있다. 그러므로 [상가임대차법]이 적용되며 임대차계약이 묵시적 갱신이 된다면 1년이라는 임대차기간이 인정될 수 있다. 그리고 1년의 임대차기간이 인정되므로, 임차인은 [상가임대차법] 제10조 제1항에 따라 임대차기간이

만료되기 6개월전부터 1개월전 사이에 계약갱신청구권을 행사할 수 있을 것이다.

그런데 문제는 [상가임대차법] 제10조 제4항은 특정 보증금을 초과하는 상가에는 적용되지 않는다는 것이다. [상가임대차법] 제2조 제1항 단서는 대통령령으로 정하는 보증금액을 초과하는 임대차에 대해서는 [상가임대차법]이 적용되지 않도록 하고 있고, [상가임대차법] 제2조 제3항에 의해 예외적으로 적용되는 조항에도 제10조 제4항은 포함되지 않는다. 그리고 대통령령으로 정하는 보증금은 [상가임대차법 시행령] 제2조 제1항에서 규정하고 있는데, 2023년 현재 서울은 9억원, 과일억제권역과 부산은 6억9천만원, 그 외 광역시와 세종, 파주, 화성, 안산, 용인, 김포, 광주는 5억4천만원, 그 밖의 지역은 3억7천만원으로 책정되어 있다.

김명의 수의사의 경우, 보증금 4억원에 임료 600만원으로 임대차계약을 하였다. 이와 같이 보증금과 임료가 모두 책정된 경우 [상가임대차법 시행령] 제2조 제3항에 의해, 보증금에 월임료의 100배를 더한 금액으로 위 특정 보증금을 산정한다. 즉, 김명의 수의사의 경우 보증금 4억원에 월임료 600만원의 100배인 6억원을 더한 금액인 10억원을 보증금으로 보게 되는 것이다. 그리고 보증금이 10억원인 상가는 [상가임대차법]이 적용되지 않고, 다음과 같이 [민법]이 적용되게 된다.

2) [민법]에 의한 묵시적 갱신과 임대차기간

[상가임대차법]이 아닌 [민법]도 임대차계약의 묵시적 갱신에 대해 규정하고 있다. [민법] 제639조는 "임대차기간이 만료한 후 임차인이 임차물의 사용, 수익을 계속하는 경우에 임대인이 상당한 기간내에 이의를 하지 아니한 때에는 전임대차와 동일한 조건으로 다시 임대차한 것으로 본다. 그러나 당사자는 제635조의 규정에 의하여 해지의 통고를 할 수 있다."라고 규정하고 있다. 김명의 수의사의 경우처럼 임차인과 임대인이 임대차계약 갱신 여부에 대해 아무 언급이 없는 경우는 동일한 조건으로 다시 임대차한 것이 된다. 다만, 이 경우 [상가임대차법]에서 1년의 임대차기간을 인정한 것과 달리, [민법]에 의해 묵시적 갱신이 된 경우는 [민법] 제635조가 적용되어 임대차기간을 정하지 않은 임대차로 인정된다. 그리고 임대차기간을 정하지 않은 임대차의 경우는 임대인과 임차인은 언제든지 해지 통보를 함으로써 임대차계약을 해지할 수 있고, 임대인이 해지하는 경우는 통보 후 6개월, 임차인이 해지하는 경우는 통보 후 1개월이 지나면 임대차계약은 종료한다.

기간을 정하지 않은 임대차계약에 대해 [상가임대차법] 제9조 제1항이 1년의 임대차기간을 인정하고 있으나, 이 규정 역시 위 특정 보증금을 초과하는 상가에 대해서는 적용되지 않는다.

대법원은 위 2021다233730 판결에서, "상가건물 임대차보호법에서 기간을 정하지 않은 임대차는 그 기간을 1년으로 간주

하지만(제9조 제1항), 대통령령으로 정한 보증금액을 초과하는 임대차는 위 규정이 적용되지 않으므로(제2조 제1항 단서), 원래의 상태 그대로 기간을 정하지 않은 것이 되어 민법의 적용을 받는다. 민법 제635조 제1항, 제2항 제1호에 따라 이러한 임대차는 임대인이 언제든지 해지를 통고할 수 있고 임차인이 통고를 받은 날로부터 6개월이 지남으로써 효력이 생기므로, 임대차기간이 정해져 있음을 전제로 기간 만료 6개월 전부터 1개월 전까지 사이에 행사하도록 규정된 임차인의 계약갱신요구권(상가임대차법 제10조 제1항)은 발생할 여지가 없다."라고 하였다.

김명의 수의사의 경우도, 위와 같이 보증금은 10억원으로 산정되어 [상가임대차법]이 아닌 [민법]이 적용되며, 명시적인 임대차 갱신계약을 체결한 것이 아니라 묵시적 갱신이 되어왔으므로, 임대인인 박건주씨는 언제든 임대차계약 해지를 통보할 수 있고, 그로부터 6개월이 지나면 임대차계약은 종료하게 된다. 그래서 김명의 수의사는 명의동물병원 상가를 비워줄 수밖에 없다.

2. 김명의 수의사는 권리금을 받을 수 있을까?

위와 같이 김명의 수의사는 임대차계약을 묵시적 갱신해옴에 따라 상가를 비워줄 수밖에 없게 되었는데, 그렇다면 권리금과 인테리어비용은 보전할 수 있을까?

권리금은 우리나라의 특유한 관습으로서, 대법원은 2000다 59050 판결에서 "영업용 건물의 임대차에 수반되어 행하여지는 권리금의 지급은 임대차계약의 내용을 이루는 것은 아니고 권리금 자체는 거기의 영업시설·비품 등 유형물이나 거래처, 신용, 영업상의 노하우(know-how) 혹은 상가 위치에 따른 영업상의 이점 등 무형의 재산적 가치의 양도 또는 일정 기간 동안의 이용대가"라고 정의하였다. 즉, 상가의 임차인이 특정한 위치의 상가를 사용하게 되면서 전 임차인이 기존에 쌓아온 거래 신용을 인수하는 대가로서 지급하는 금전이라고 할 수 있다.

권리금은 임대차계약의 내용에 해당하지 않는다. 즉, 권리금은 김명의 수의사와 임대인 박건주씨와의 거래가 아니라, 김명의 수의사와 전 임차인인 이상인씨와의 거래인 것이다. 그리고 권리금 거래는 이상인씨가 김명의 수의사에게 상가를 넘기면서 종료되었다.

그러므로 김명의 수의사는 임대인 박건주씨에게 권리금을 청구할 수는 없다. 김명의 수의사가 권리금을 받는 방법은 후속 임차인을 찾아 상가를 넘기면서, 그 후속 임차인으로부터 권리금을 받는 것이다.

[상가임대차법]은 2015년 개정에서 권리금을 법문에 명시하여 실체를 인정하면서, 임차인이 임대차계약이 만료되기 6개월 전부터 종료시까지 상가를 이어서 사용할 후속 임차인을 구해오는 경우, 임대인은 임차인이 후속 임차인로부터 권리금을 받

는 것을 방해하지 않을 의무를 규정하였다. 만일 권리금을 받는 것을 임대인이 방해할 경우는 손해배상책임을 져야 한다.

3. 김명의 수의사는 인테리어 비용을 받을 수 있을까?

[민법] 제626조 제2항은 "임차인이 유익비를 지출한 경우에는 임대인은 임대차종료시에 그 가액의 증가가 현존한 때에 한하여 임차인의 지출한 금액이나 그 증가액을 상환하여야 한다."라고 규정하고 있다. 유익비는 임대차 건물의 가치를 상승시키기 위해 소요되는 비용을 말한다.

김명의 수의사가 명의동물병원 상가의 인테리어를 함으로써 그 상가의 가치가 높아졌다고 볼 수 있다. 그러므로 김명의 수의사는 임대차계약이 종료되면 그 비용을 청구할 수 있다. 이때 임대인 박건주씨는 인테리어 비용 2억원을 지급하거나 인테리어에 의해 상가의 가치가 증가한 금액을 산정받아 이 중 선택하여 지급할 수 있다. 이때, 인테리어가 임대인 입장에서는 필요없는 것이라 하더라도 인테리어 비용을 지급해야 한다. 이를 유익비상환청구권이라고 하는데, 김명의 수의사는 임대차계약이 종료되고 6개월 이내에 이를 행사해야 한다.

다만 이러한 유익비상환청구권은 임대차계약을 할 때, 임차인이 미리 포기할 수도 있다. 유익비상환청구권을 포기한다는 것은 임차인 입장에서는 불리한 일이지만, 실무상 임대차계약서

에 이를 명시하는 경우가 대부분이다. 대법원은 2001다40381 판결 등에서, 임대차계약서에 '임대차 종료 시 건물을 원상회복하여 반환할 것'을 약정한 경우는 임차인이 유익비상환청구권을 포기한 것이라고 판단했다. 이러한 경우는 인테리어 비용이나 상가가액 증가분을 받을 수 없다.

2. 진료비 청구를 위한 지급명령

김명의 수의사가 운영하는 명의동물병원에 어느 날 이동주 씨가 방문해서 강아지 순돌이의 수술을 맡겼다. 김명의 수의사는 파텔라 수술을 한 후 일주일간 입원시키기로 하였고, 수술비는 100만원, 입원비는 일당 10만원씩으로 70만원을 받기로 했다. 하지만 입원기간이 끝난 후에도 이동주 씨는 순돌이를 찾으러 오지 않았다. 김명의 수의사가 재촉하면 지금은 돈이 없으니 나중에 찾으러 가겠다는 답변만을 하였다. 그 사이에도 순돌이의 입원에 따른 관리비용은 계속해서 들어가고 있다. 김명의 수의사는 법적인 방법을 통해서라도 진료비를 받고 순돌이를 퇴원시키고 싶다.

김명의 수의사 입장에서는 이동주씨 때문에 현재 손해를 입고 있으므로 이동주씨가 어떤 죄를 범한 것 같다고 생각하는 경우가 많다. 그리고 입원기간이 길어질수록 당초 받기로 한 금액 이외에도 추가로 입원비를 청구할 수 있는지 여부도 문제이다. 무엇보다 당초의 진료비라도 제대로 받을 수 있을지도 미지수

다.

1. 이동주씨는 죄가 있을까?

 이런 경우, 보통 사기죄나 업무방해죄를 생각해볼 수 있다.

 사기죄가 성립하기 위해서는, 상대방에 대한 기망행위를 통해서 재물이나 재산상의 이익을 취득하여야 한다. 이동주씨가 처음부터 김명의 수의사를 속일 목적을 갖고 진료를 맡겼을 수도 있겠으나, 그것은 심증만 있을 뿐 물증은 없는 상황이고, 이동주씨는 순돌이를 데려가지 않은 상황이므로, 이동주씨가 아직 재산상의 이익을 취득하였다고 보기도 애매한 점이 있다. 그래서 김명의 수의사가 이동주씨를 사기죄로 고소하는 것은 쉽지 않다.

 그렇다면 업무방해죄에는 해당할까? 업무방해죄란 허위사실을 유포하거나 위계, 위력으로 업무를 방해하는 것을 말한다. 위계는 속임수, 위력은 위협적인 힘을 말한다고 보면 된다. 앞서 본 것처럼 이동주씨가 처음부터 김명의 수의사를 속일 목적이 있었다고 단정하기는 어렵다. 그리고 이동주씨가 순돌이의 진료를 맡긴 것이 김명의 수의사의 업무를 방해하였다고 보기도 어려운 부분이 있다. 따라서 업무방해죄로 고소하는 것 역시 쉽지 않다.

2. 김명의 수의사는 당초보다 길어진 입원비도 받을 수 있을

까?

　김명의 수의사와 이동주씨는 순돌이에 대한 진료에 대해 1주
일 입원의 진료 계약을 체결한 것이다. 이것을 법률적으로 위
임계약이라 한다. 그런데 이동주씨가 '나중에 순돌이를 데리러
가겠다.'라고 하였다는 것은 위임계약, 곧 입원의 기간을 더 연
장하겠다는 의미가 있다. 그리고 더 연장된 위임계약은 기간의
정함이 없는 것이 되어서, 이동주씨가 순돌이를 데리러갈 때까
지 입원을 계속시키겠다는 계약을 한 것이다. 따라서 김명의
수의사는 이동주씨에게 더 추가된 기간만큼의 입원비도 청구할
수 있다.
　혹여 이동주씨가 '나중에 순돌이를 데리러 가겠다'는 의사를
명시하지 않은 경우에도, 명의동물병원에 순돌이를 입원시켜
관리를 받게 하는 것은 그만큼 이동주씨가 이득을 취하는 것에
해당한다. 명의동물병원에서 입원 관리를 받는 것은 비용이 들
어가는 일이기 때문이다. 이동주씨 추가된 기간만큼의 입원비
상당의 부당이득을 취한 것이므로 김명의 수의사는 부당이득반
환으로서도 입원비를 청구할 수 있다.

3. 진료비를 청구할 수 있는 법적 방법

　김명의 수의사가 이동주씨에게 진료비를 청구할 수 있는 방법
은 소송을 하는 것이 가장 원칙적인 방법이다. 하지만 소송은

기간도 오래 걸릴 뿐만 아니라 비용도 비싸다. 소송에 드는 비용이 진료비를 훨씬 웃돌아 소송도 못하고 진료비를 포기하는 경우도 있다.

 하지만 소송보다 훨씬 저렴하고 간편하면서도, 소송과 동일한 효과를 얻을 수 있는 법적 절차로서, 지급명령 등 독촉절차가 있다. 지급명령이란 채권자가 법원에, 채무자에게 돈을 지급하라고 독촉해 줄 것을 신청하는 것이다. 채권자인 김명의 수의사는, 달리 법원에 출석하여 재판을 받을 필요 없이, 법원에 지급명령신청서와 이동주씨에게 돈을 받을 권리가 있음을 증명하는 서류를 제출함으로써 지급명령 신청 절차는 끝난다. 법원은 김명의 수의사가 제출한 서류들을 검토하여 그 내용이 타당하다고 판단하면, 채무자인 이동주씨에게 돈을 지급할 것을 명령하는 서류를 발송한다. 이동주씨가 서류를 받고 아무런 대응이 없거나 또는 '돈을 지급해야 하지만 지금 당장은 돈이 없다.'라는 정도만 답변을 한다면, 김명의 수의사는 이동주씨를 상대로 소송에서 승소한 것과 동일한 효과를 얻게 된다. 다만, 이동주씨가 서류를 받고 '진료비를 지급할 의무가 없다.'라고 하면서 이의를 제기하면 김명의 수의사의 선택에 따라 소송절차로 들어가게 된다.

 이러한 지급명령 절차는 김명의 수의사가 직접 법원에 출석할 필요가 없으며, 소송에 비해서도 비용이 훨씬 저렴하다. 소송은 인지액도 비쌀 뿐만 아니라 변호사를 선임한다면 많은 선임비용이 드는 반면, 지급명령은 인지액도 소송의 10분의 1로 저렴

하고 한 번의 서류제출로 마무리되므로 따로 변호사를 선임하지 않고 진행할 수도 있다. 그러면서도 소송과 동일한 효과를 얻을 수 있으므로, 동물병원을 운영하는 수의사들에게는 매우 유용한 제도라고 생각된다. 더욱이 상대방이 지급명령서를 송달받은 날 이후부터는 연12%의 진연손해금(이자)이 가산되므로 경제적으로도 이득이 될 것이다.

4. 지급명령을 확정받은 후엔 어떤 절차가 있나?

지급명령이 소송과 동일하게 취득하는 효력이란 무엇일까? 이동주씨가 지급명령서를 받고 자발적으로 진료비를 지급한다면 좋겠지만, 여전히 진료비를 지급하지 않고 버틴다면 어쩔 수 없이 강제집행 절차에 들어가야 한다. 지급명령이 소송과 동일한 효력을 취득한다는 것은 바로 강제집행 절차에 들어갈 수 있는 권한을 확보한다는 의미이다.

강제집행은, 김명의 수의사가 이동주씨의 재산이나 임금 등을 압류한 후 그것으로 진료비를 충당하는 것이다. 보통 진료비 정도의 채권인 경우는 부동산보다는 임금이나 예금채권을 압류하는 경우가 많다. 부동산을 압류하면 더 긴 기간과 많은 비용이 소요되기 때문이다. 그리고 진료비는 비교적 소액채권에 해당하는 경우가 많으므로 강제집행을 통해 진료비를 충당할 수 있을 것이다.

3. 지급명령을 위한 송달 문제

이동주씨는 2달전 김명의 수의사의 명의동물병원에 반려견 순돌이의 수술을 맡겼다. 김명의 수의사는 이동주씨에게 진료비와 입원비 200만원을 받을 것이 있지만 이동주씨를 상대로 법원에서 지급명령을 받지도 못하고 있다. 김명의 수의사는 이동주씨를 상대로 법원에 지급명령을 신청하였으나, 이동주씨와는 현재 연락도 두절되었고 이동주씨의 주소지도 알 수 없어서 지급명령이 법원에서 받아지지 않은 것이다. 김명의 수의사는 이동주씨의 전화번호만 알고 있다.

어쩔 수 없이 지금까지 김명의 수의사는 순돌이를 명의동물병원에서 그대로 관리하고 있었다. 하지만 김명의 수의사는 이동주씨를 상대로 진료비를 받고, 순돌이를 자신이 입양하거나 제3자에게 입양을 보내고 싶다.

지급명령은 채무자로 하여금 채권자에게 금전을 지급할 것을 법원이 명령하는 간이소송절차이다. 수의사는 진료비에 대한 채권자이므로 법원에 지급명령신청서를 제출하면 법원은 진료

비의 채무자인 보호자에게 지급명령을 발령하고, 보호자가 지급명령에 이의가 없으면 소송에서 승소한 것과 동일한 효력이 인정되는 것이다.

하지만 지급명령은 보호자에게 지급명령신청서가 반드시 송달이 되어야만 가능하다. 법원이 보호자에게 지급명령 정본을 송달하였으나 보호자가 이사를 하여 주소지를 확인할 수 없거나, 이사를 하지 않았더라도 주소지에 부재하여 송달이 되지 않는 경우는 지급명령 절차를 진행할 수 없다. 보호자에게 송달도 되지 않은채로 지급명령이 확정된다면 법원은 한쪽의 말만 듣고 확정 권한을 주게 되는 결과가 되기 때문이다.

이와 같이 보호자의 주소지를 확인해야만 하는 경우 김명의 수의사는 어떤 방법이 가능한지, 그리고 보호자의 주소지를 확인하지 못하였더라도 승소판결을 받는 방법은 무엇이 있는지 알아보자.

1. 문서제출명령신청

김명의 수의사는 지급명령을 신청할 때 이동주씨의 주소지를 반드시 기재해야만 한다. 그런데 김명의 수의사는 이동주씨의 전화번호만을 알고 있을 뿐이다. 그런데 전화를 개통하기 위해서는 각 통신사에 인적사항을 알려주어야 한다. 각 통신사는 이동주씨의 인적사항을 확보하고 있으므로, 김명의 수의사는 이동주씨에 대한 유일한 정보인 전화번호를 근거로 이동주씨의

인적사항을 확보할 수 있다.

즉, 김명의 수의사는 통신사에게 이동주씨의 인적사항을 알려달라고 요청할 수 있는 것이다. 그런데 김명의 수의사가 직접 통신사에게 요청을 하면 통신사는 [개인정보보호법]에 따라 답변을 거부할 수밖에 없다. 그러므로 김명의 수의사가 직접 통신사에게 요청하는 것이 아니라 법원이 통신사에게 이동주씨의 인적사항에 관한 문서를 제출하도록 명령을 내려줄 것을 법원에 신청해야 한다. 즉, 김명의 수의사는 법원에 문서제출명령신청을 하는 것이고, 실무상 법원은 김명의 수의사의 신청에 큰 하자가 없는 이상 신청을 받아들여 통신사에게 명령을 내리고, 그에 따라 통신사는 이동주씨의 주소지 등의 인적사항을 제공하게 된다.

2. 주소보정명령을 통한 인적사항 확보

이와는 달리 김명의 수의사가 이동주씨의 주소지를 알고 있었는데 잘못된 정보였거나, 통신사를 통해 확보한 이동주씨의 주소지도 잘못된 경우는 어떤 방법이 가능할까?

그런 경우 우선 법원은 김명의 수의사가 기재한 이동주씨의 주소지로 지급명령을 송달할 것인데, 잘못된 주소지이므로 당연히 이동주씨에게 송달이 되지 않을 것이다. 이동주씨가 해당 주소지에서 이사한 이사불명이 되거나 이동주씨를 만날 수 없는 폐문부재가 될 것이다. 그러면 법원은 다시 김명의 수의사

에게 이동주씨에 대한 주소지를 보정하라는 보정명령을 내린다. 그리고 일정기간, 보통 2주간 김명의 수의사가 이동주씨의 새로운 주소지를 확보하지 못한다면 지급명령은 불가능하게 된다.

이와 같이 주소보정명령은 언뜻 보면 단순히 주소지를 보정하라는 법원의 명령만 있는 것 같지만 다른 주요한 권한도 포함하고 있다. 김명의 수의사로 하여금 이동주씨의 주민등록초본을 발급받을 수 있는 권한도 부여하는 것이다. 즉, 김명의 수의사는 법원의 주소보정명령서를 첨부하여 주민센터에서 이동주씨의 주민등록초본을 발급받을 수 있다. 이와 같이 제3자가 주민등록초본을 발급받는 것은 [주민등록법]상 불가능한 일이지만, 소송의 필요에 따라 법원이 특별한 권한을 부여하는 것이다. 그러므로 김명의 수의사는 주소보정명령을 통해 이동주씨의 주민등록초본을 발급받음으로써 이동주씨의 주소지를 확보할 수도 있다.

3. 공시송달신청

이동주씨에게 송달할 주소지를 확보하여 그대로 이동주씨에게 지급명령이 송달이 된다면 지급명령을 확정받을 수 있다. 하지만 위와 같은 절차로 확보한 이동주씨의 주소지도 실거주지가 아닌 경우는 송달이 불가능하게 되는데 그런 경우는 어떤 방법이 가능할까?

최종적으로 확보한 주소지에도 송달이 불가능한 경우는 결국 송달이 되지 않으므로 지급명령은 불가능하다. 그런 경우 김명의 수의사는 지급명령이 아닌 본안 민사소송으로 전환하여 소장을 제출해야 한다. 그리고 그 민사소송에서 위와 같이 지급명령을 신청하였음에도 불구하고 주소지를 확정할 수 없었던 사유를 소명한 후, 공시송달을 신청한다. 그러면 법원에서 공시송달을 인정하게 되는데, 공시송달이 인정되는 경우 법원은 이동주씨에게 소송이 제기되었음을 공시하게 되고, 그 공시로 이동주씨가 송달을 받은 것으로 간주하는 것이다. 이와 같이 공시송달이 인정되면 김명의 수의사는 이동주씨를 상대로 승소판결을 받을 가능성이 매우 높아서, 이동주씨에 대한 진료비를 확정받을 수 있다.

4. 퇴원 거부 대상 동물의 소유권 취득

김명의 수의사는 이동주씨를 상대로 법원에 지급명령을 신청한 일이 있다. 이동주씨가 명의동물병원에 반려견 순돌이의 수술을 맡기고 데려가지 않고 있기 때문이었다. 김명의 수의사의 진료비 200만원의 지급을 구하는 지급명령에 대하여 이동주씨는 묵묵부답이었다. 그 결과 김명의 수의사는 법원으로부터 진료비의 지급명령 확정을 받았다.

하지만 지급명령 확정을 받았어도 이동주씨는 여전히 연락이 두절되었고, 순돌이는 명의동물병원에서 그대로 관리하고 있다. 김명의 수의사는 진료비는 못받아도 좋으니 순돌이를 자신이 입양하거나 제3자에게 입양을 보내고 싶다. 이동주씨의 반려견으로 두고 있는 것은 법적으로 불안하기 때문이다. 김명의 수의사는 반려견 순돌이의 소유권을 가져올 수 있을까?

동물병원에 환자의 진료를 맡긴 뒤 찾아가지 않는 경우가 자주 발생하곤 한다. 이런 경우 보호자를 상대로 지급명령을 신

청하거나 기타 민형사상 소송을 제기하면 보호자가 환자를 찾아가는 경우가 일반적이다. 하지만 김명의 수의사와 같이 민형사상 소송이 제기되어도 보호자가 연락도 두절되는 경우라면 완벽히 해결되지 않을 수 있다. 이런 경우 김명의 수의사가 가능한 법적 조치는 어떤 것들이 있을까?

1. 강제집행

김명의 수의사는 이동주씨를 상대로 지급명령 확정을 받았다. 지급명령을 받은 상대방이 이의를 제기하지 않으면 그대로 확정되어 채권을 인정받게 되는데, 김명의 수의사는 이동주씨를 상대로 진료비 200만원을 받을 수 있는 권리를 법적으로 인정받은 것이다. 여기에서 권리란 다음과 같은 강제집행을 할 수 있는 권리라고 보면 된다.

김명의 수의사는 지급명령 확정을 받았으므로 이동주씨의 재산으로부터 진료비를 충당할 수 있다. 일반적인 채권채무관계에서는 채무자의 예금된 돈을 강제적으로 가져오거나 부동산을 경매에 넘기곤 한다. 김명의 수의사도 이동주씨의 예금된 돈이나 부동산에 대하여 강제집행을 신청할 수 있으나, 김명의 수의사가 원하는 것은 이동주씨로 하여금 반려견 순돌이의 소유권이라도 포기하게 만드는 것이다.

반려견 순돌이는 이동주씨의 소유물이다. 반려견이라도 법적으로는 하나의 물건에 해당하기 때문이다. 동물에 대하여 물건

이 아닌 제3의 법적 지위를 부여하는 입법안이 계류 중이나 아직 입법화되지 않았고, 입법이 된다고 하더라도 물건에 대한 규정이 준용되므로 강제집행의 대상이 되는 것은 변함이 없다. 그러므로 김명의 수의사는 순돌이를 대상으로 강제집행을 할 수 있다. 즉, 김명의 수의사는 법원에 순돌이를 경매에 넘겨서 그 대금으로 진료비에 충당하게 해달라고 신청할 수 있는 것이다. 이와 같은 강제집행은 다음과 같은 절차에 따른다.

2. 유체동산압류의 강제집행 절차

우선 김명의 수의사는 이동주씨를 상대로 법원에 유체동산 강제집행을 신청해야 한다. 그리고 강제집행과 함께 소정의 예납금을 납부한다.

법원의 집행관은 압류절차에 들어가는데, 집행기일을 지정해서 목적물의 소재지인 명의동물병원에 방문하여 압류 대상을 확정한다. 집행관이 순돌이를 데리고 갈 수도 있으나, 김명의 수의사가 보관하고 있었으므로 계속 보관하도록 하는 것이 일반적이다.

법원의 집행관은 매각기일을 지정해서 이해관계인들에게 통지한다. 이해관계인에는 채권자인 김명의 수의사와 채무자인 이동주씨 등이 포함된다.

참고로, 원칙상 채권자는 매각기일 전까지 배당요구를 하여야 한다. 배당요구란 나중에 압류 대상이 매각되면 그 매각대금에

서 채권을 지급받을 것을 신청하는 것인데, 김명의 수의사의 경우는 강제집행을 신청한 채권자이므로 별도의 배당요구는 불요하다. 하지만 이동주씨에게 다른 채권자가 있고, 그 채권자가 배당요구를 한다면 집행절차는 복잡하게 될 수 있다. 다만, 실무적으로 김명의 수의사와 같이 소액 채권에 의한 유체동산의 강제집행의 경우는 다른 채권자가 나설 가능성은 낮다고 하겠다.

법원 집행관이 지정한 매각기일에는 호가경매가 진행되는데, 호가경매란 집행관이 매각장소에서 구두로 최저가 이상의 금액을 부르는 사람을 낙찰자로 지정하는 것이다. 일반적으로 순돌이의 경우는 매수자가 나타날 가능성이 낮을 것이므로, 이 때 김명의 수의사가 스스로 매수자로 나서는 것이 가능하다. 즉, 김명의 수의사가 채권자이면서 매수자가 되는 것이다. 혹시 제3자가 순돌이의 매수자로 나선다면, 그 제3자가 매각대금을 지급하고 순돌이의 소유권을 취득하면 된다.

매수자는 매각대금을 납부하고, 납부한 대금에서는 김명의 수의사가 강제집행을 신청하면서 법원에 납부한 집행비용이 먼저 공제된다. 그리고 나머지 비용은 앞서 배당요구를 한 다른 채권자가 없는 경우라면, 김명의 수의사에게 지급된다.

3. 강제집행의 효과

강제집행 결과 순돌이의 소유권은 매수자가 취득하고, 매각대

금은 김명의 수의사의 진료비로 충당된다. 가령 김명의 수의사가 순돌이의 매수자로 나섰고, 순돌이가 100만원에 매각되는 것으로 결정되되었다면, 김명의 수의사는 진료비 200만원 중 100만원으로 순돌이의 소유권을 취득하게 되고, 나머지 진료비 100만원은 이동주씨에게 추가로 지급받을 권리를 그대로 유지한다.

5. 진료비 채권의 추심 방법

김명의 수의사는 2달전 이동주씨의 반려견 순돌이의 종양 제거 수술을 해주었다. 하지만 이동주씨는 순돌이를 데려가지 않았고, 순돌이는 김명의 수의사의 명의동물병원에서 계속 관리하고 있다. 김명의 수의사는 이동주씨를 상대로 진료비 400만원의 지급명령을 신청하였고, 확정도 받았다. 김명의 수의사는 순돌이를 퇴원시키는 것보다 이동주씨에게 진료비를 받기를 원한다.

김명의 수의사는 실질적인 진료비의 수령을 원하고 있다. 진료를 맡겼던 반려견에 대한 유체동산 강제집행을 한다고 하더라도, 그것은 반려견의 소유권을 합법적으로 취득하는 방법은 될 것이나, 실질적으로 진료비를 충당하기에는 효과적인 방법은 아닐 수 있다.

김명의 수의사가 이동주씨로부터 법적 수단을 동원해서 진료비를 지급받을 수 있는 방법은 매우 다양하다. 김명의 수의사는 진료비에 대한 채권자이고 이동주씨는 채무자에 해당하므

로, 강제집행의 방법은 재산의 형태만큼이나 다양한 것이다. 하지만 진료비는 비교적 소액채권에 해당하므로, 진료비와 같은 소액채권에 적절한 강제집행 방법을 살펴보자.

1. 재산명시

재산명시란 채무자인 이동주씨로 하여금 자신의 재산목록을 법원에 제출하게 하고, 이에 불응하거나 허위로 응할 경우는 형사처벌까지 받도록 하는 제도이다.

이러한 재산명시의 절차로, 우선 채권자인 김명의 수의사는 법원에 재산명시 신청서를 접수한다. 재산명시 신청서는 인터넷 등을 통해서도 쉽게 양식을 구할 수 있으며, 작성법도 양식에 따라 쉽게 작성이 가능하다.

재산명시 신청이 있으면 법원은 재산명시기일을 지정하여, 채무자인 이동주씨에게 통보한다. 그러면 이동주씨는 재산명시기일까지 자신의 재산목록을 작성하여서 재산명시기일에 법원에 직접 출석하여 제출해야 한다. 재산목록에는 현재의 이동주씨의 재산 내역과 1년 이내에 유상으로 양도한 부동산 내역, 1년 이내에 친인척에게 유상으로 양도한 동산 내역, 2년 이내에 무상으로 양도한 동산과 부동산 내역을 모두 기재해야 한다. 이동주씨가 작성한 재산목록은 채권자인 김명의 수의사에게 전달되고, 해당 재산목록 중 사실이 아닌 부분이 발견되면 이동주씨는 3년 이하의 징역 또는 500만원 이하의 벌금의 처벌을 받

게 된다.

만일 이동주씨가 법원이 지정한 재산명시기일에 불출석하는 경우는, 20일 이내의 기간에서 감치에 처할 수 있다. 감치는 쉽게 말해서 유치장이나 구치소에 구속되는 것이다. 또한 이동주씨가 법원의 재산목록제출 명령을 거부하더라도 역시 20일 이내의 기간에서 감치에 처해진다.

엄밀히 말해서 재산명시는 이동주씨로부터 직접적으로 진료비를 받는 방법은 아니지만, 간접적으로 이동주씨를 압박할 수 있는 수단이 된다. 재산명시 명령을 받은 이동주씨는 자신의 재산 상태를 공개해야 하는 부담과 법원의 명령에 불응하거나 부정하게 공개하는 경우 형사처벌을 받는 부담을 안게 되고, 이는 이동주씨로 하여금 진료비를 지급하게 만드는 수단이 되기 때문이다.

2. 예금채권의 강제집행

위 재산명시는 진료비를 수령할 수 있는 간접적인 방법이고, 이동주씨에게 형사처벌까지 따르는 불이익을 주는 면이 있다. 그렇다면 재산명시와는 달리 직접 진료비를 현금으로 수령할 수 있으며, 형사처벌도 동반되지 않는 방법은 무엇이 있을까?

진료비 채권의 경우는 강제집행 중 예금채권에 대한 강제집행이 효율적인 방법이 될 수 있다. 예금채권에 대한 강제집행이란 이동주씨 명의의 통장을 압류하여 그 통장에서 직접 진료비

만큼의 금액을 인출하는 것이다.

　강제집행의 방법은 다양한데, 일반적인 경우는 부동산 등 큰
금액의 자산에 대하여 강제집행을 하게 된다. 하지만 그런 큰
금액의 자산에 강제집행을 하기 위해서는 절차도 그만큼 복잡
하므로 채권자인 김명의 수의사도 상당한 비용과 시간을 투여
해야 한다. 그러므로 진료비와 같은 비교적 소액채권의 경우는
간이하면서도 바로 현금을 확보할 수 있는 예금채권이 적절한
대상이 되는 것이다.

　예금채권에 대한 강제집행의 절차로, 채권자인 김명의 수의사
는 법원에 채권 압류 및 추심명령 신청서를 접수해야 한다. 김
명의 수의사는 이동주씨가 어느 은행에 얼마의 돈이 있는지는
알 수 없기 때문에 시중의 주요은행을 상대로 여기저기 압류
및 추심명령을 신청한다. 이런 압류 및 추심명령 신청서 역시
인터넷 등에서 쉽게 양식을 구해 작성할 수 있다.

　여기에서 한가지 유용한 팁으로 제3채무자 진술 최고서도 같
이 접수하는 것이 좋다. 예금채권 관계에서 시중은행은 이동주
씨에게 채무자가 되는 것인데, 제3채무자 진술 최고는 은행으
로 하여금 이동주씨의 통장 잔액이 얼마가 있는지를 고지하게
하는 것이다. 이런 은행의 고지가 없으면 김명의 수의사는 일
일이 은행을 방문하여 확인해야 하는 번거로움이 있다.

　위와 같이 채권 압류 및 추심명령과 제3채무자 진술 최고를
신청하면, 법원은 김명의 수의사가 신청한 은행들에게 명령서
를 발송하고, 이를 수령한 은행들은 이동주씨의 통장 잔액 등

을 알려온다. 단, 1달 최저생계비인 150만원 이상의 잔고가 있는 통장만 압류가 가능하다.

김명의 수의사가 은행의 회신을 확인하면, 관련 서류를 구비하여 잔액이 있는 은행에 방문하여 이동주씨의 계좌에서 진료비를 인출할 수 있다. 필요한 서류는 실무상 해당 은행에서도 잘 알려주는데, 지급요청서, 법원의 채권 압류 및 추심 결정문, 인감증명서, 통장사본 등이다. 그리고 실제 진료비를 충당하면 김명의 수의사는 법원에 해당 금액을 추심을 하였음을 신고함으로 절차가 종료한다.

6. 동물병원에서 남은 재고의 반품

김명의 수의사는 명의동물병원을 운영하면서, 동물 진료뿐만 아니라 다양한 반려동물 용품들을 판매하고 있다. 김명의 수의사는 주식회사 맛나사료에서 제조한 사료를 싸게 구입해서 이윤을 붙여 판매하는 방식으로, 사료 1개당 3만원에 구입하여 보호자들에게 5만원에 판매하고 있다. 그런데 최근 명의동물병원에서의 사료 판매가 감소하였고, 300만원 상당의 유통기한이 임박한 사료가 재고로 남게 되었다. 김명의 수의사는 맛나사료에게 사료를 다시 반품하고 300만원을 환불해줄 것을 요청하였다. 그러나 맛나사료는 이미 판매는 끝난 것이니 반품을 할 수 없다며 거절하였다. 김명의 수의사는 맛나사료에게 사료를 반품하고 대금을 환불받을 수 있을까?

동물병원에서 판매하는 사료 등의 용품에 대하여 유통기한이 넉넉하게 남아 있다면 재고를 관리할 수 있을 것이지만, 판매 감소 등의 이유로 재고가 남을 수 있을 것이다. 그런데 재고

위험에 대하여 김명의 수의사와 맛나사료는 서로 상대방이 위험을 부담하는 것이라고 주장하고 있다. 이와 같은 입장 차이가 발생한 이유는 명의동물병원과 맛나사료가 서로간의 거래 유형을 달리 인식하고 있었기 때문이다. 김명의 수의사와 맛나사료가 인식한 각 거래유형이 무엇인지를 살펴보고 각 경우에 맞는 처리 방법을 알아보자.

우선 기본적으로 상품의 판매에 있어서 재고의 위험을 부담하는 측은 해당 재고 물품의 소유자이다. 이를 염두에 두고 다음을 살펴보자.

1. 상사매매

맛나사료는 명의동물병원과의 거래를 단순한 매매로 인식하고 있었다. 매매는 가장 흔한 거래 유형이며 법률관계도 비교적 단순하다. 맛나사료가 명의동물병원에게 사료를 싸게 판매하는 것으로 맛나사료와 명의동물병원 사이의 거래는 끝나고, 명의동물병원은 알아서 자신의 부담 하에 사료를 보호자에게 판매하는 것이다. 명의동물병원이 맛나사료에서 사료를 구입한 순간부터 해당 사료들은 명의동물병원이 소유권을 취득하고, 이를 다시 보호자에게 판매하는 구조이다. 따라서 어떤 방식으로 판매할 것인지, 얼마나 수익을 남길 것인지 등은 명의동물병원이 알아서 결정하며, 재고에 대한 위험도 명의동물병원이 부담하는 방식이다. 이 경우는 명의동물병원이 우선 사료의 소유권

을 취득한 상태이기 때문에 재고가 있더라도 맛나사료가 반품 해줄 의무는 없다.

다만, 상사매매로 이루어진 거래라고 하더라도 반품이 금지되는 것은 아니다. 명의동물병원은 맛나사료에게 반품을 법적으로 강제할 근거가 없다는 것뿐이지, 특약을 걸거나 맛나사료와의 협의 하에 반품이 이루어질 수 있으며, 상사매매임에도 불구하고 반품을 해주는 경우도 존재한다.

2. 위탁판매

반면 김명의 수의사는 맛나사료로부터 사료를 납품받았지만 사료 재고의 위험을 맛나사료가 부담한다고 인식하고 있었는바, 김명의 수의사는 맛나사료와의 거래를 위탁판매로 인식하고 있었다고 하겠다. 이러한 김명의 수의사의 입장에 따른다면, 명의동물병원에서 사료를 판매하더라도 그 사료의 원래 주인은 김명의 수의사가 아니라 맛나사료가 되는 것이다. 그리고 명의동물병원은 자신의 사료를 판매하는 것이 아니라, 맛나사료의 사료를 대신 판매해주는 것이 된다.

이러한 거래 유형도 상법에서 인정하고 있는데, 이를 위탁판매라고 규정하고 있다. 즉, 명의동물병원은 맛나사료로부터 위탁을 받아 맛나사료를 대신하여 반려동물의 보호자들에게 사료를 판매하는 것이지만, 판매 과정의 편의를 위하여 김명의 수의사가 명의동물병원의 판매장소와 판매루트를 제공하고, 그에

대한 수수료를 지급받는 방식이다.

이러한 거래 방식에서 명의동물병원과 맛나사료 사이에서는 판매가 완료되기 전까지의 소유권자는 맛나사료가 된다. 그러므로 재고의 위험도 맛나사료가 부담하는 것이다. 그러므로 이 경우는 맛나사료는 명의동물병원의 재고를 반품해주어야 한다.

3. 매매와 위탁판매의 구별

맛나사료과 명의동물병원 사이의 거래가 매매라면 명의동물병원이, 위탁판매라면 맛나사료가 재고 위험을 부담하게 된다. 그리고 맛나사료와 명의동물병원 사이의 거래가 매매계약인지 위탁판매계약인지 여부는 맛나사료와 명의동물병원 사이에 체결한 계약 내용에 따라 결정된다. 즉, 맛나사료와 명의동물병원이 명시적으로 매매 또는 위탁판매임을 표시하였거나 당사자 사이에 매매 또는 위탁판매로 공동으로 합의한 바가 있었다면, 거래의 구체적인 내용보다 우선하여 그 합의된 대로 거래 유형이 결정되는 것이다.

그러나 맛나사료과 명의동물병원 사이에 거래 유형이 어떤 것인지를 명시하지 않았다면 거래의 내용을 분석하여 그것이 매매인지 위탁판매인지 여부를 판단해야 한다. 그리고 위탁판매는 다음과 같은 몇가지 특징이 있으며, 이러한 특징을 갖춘 거래 방식이었다면 위탁판매계약으로 보아야 할 것이다.

먼저 위탁판매에서 명의동물병원은 동물 보호자에게는 매도인

이 되더라도, 맛나사료에게는 매도인의 지위가 아니며 맛나사료와 보호자 사이의 매매를 이어주는 것뿐이다. 그러므로 명의동물병원은 보호자로부터 직접 매매대금을 취득하는 것이 아니라, 매매대금은 맛나사료가 취득하되, 별도로 맛나사료로부터 위탁판매수수료를 수령하게 된다. 즉, 보호자가 명의동물병원에서 사료 대금을 카드결제를 하였더라도 그 대금의 소유권자는 맛나사료이며 명의동물병원은 임시로 보관하는 것으로서 판매내역을 맛나사료에게 통지하여야 하고, 추후에 명의동물병원은 맛나사료에게 대금을 지급해주고 다시 일정한 수수료를 지급받는 방식이 된다. 그러므로 명의동물병원은 맛나사료에게 사료 판매가 있을 때마다 또는 주기적으로 어떻게 판매가 진행되고 있는지를 고지할 의무를 부담한다.

중요한 차이점은 위탁판매에서 판매가격은 명의동물병원이 지정할 수 없고 맛나사료가 지정한 판매가격을 준수해야 한다.

김명의 수의사는 맛나사료와 계약을 체결할 때에 이러한 위탁판매의 특징이 포함되는지를 살펴서 결정하여야 할 것이다.

7. 동물병원에서 판매하는 물품의 하자

김명의 수의사는 명의동물병원을 운영하면서, 동물 진료뿐만 아니라 다양한 반려동물 용품들을 판매하고 있다. 김명의 수의사는 주식회사 맛나사료에서 제조한 영양제를 싸게 구입해서 이윤을 붙여 판매하고 있고, 이동주씨에게도 영양제를 10만원에 판매하였다. 이동주씨는 반려견 순돌이에게 사료와 함께 영양제를 먹였다. 그런데 영양제에는 곰팡이가 과다하게 포함되어 있어서 순돌이는 급성 신부전증이 발병하였다.

이동주씨는 명의동물병원에서 구입한 영양제 때문에 순돌이의 신부전이 발병하였고, 그로 인한 치료비 100만원이 소요되었다면서 김명의 수의사에게 손해배상을 청구하였다. 이에 대해 김명의 수의사는 자신은 영양제를 단순 판매한 것뿐 영양제의 하자 여부는 알기 어려웠으므로, 영양제 제조사인 맛나사료에게 배상책임을 물으라고 하였다. 그러자 이동주씨는 자신은 맛나사료를 보고 영양제를 구입한 것이 아니라 명의동물병원을 보고 영양제를 구입한 것이므로 명의동물병원이 책임을 져야 하며, 맛나사료에게 책임을 물을 사람은 김명의 수의사이지 자신은 무관하다고 주장하였다.

명의동물병원에서 판매한 영양제에는 곰팡이가 포함되어 있었고, 그로 인하여 이동주씨의 반려견 순돌이가 신부전증이 발생하는 결과가 야기되었다. 그러므로 이동주씨가 영양제로 인하여 손해를 입은 것은 명백하다고 할 것이다. 그리고 이동주씨는 불필요한 영양제 비용을 지출하는 손해를 입었으며, 반려견 순돌이의 건강이 악화되는 손해를 입었다. 이와 같은 경우 이동주씨는 명의동물병원과 맛나사료 중 누구에게 손해배상을 받아야 하는지, 또 그 손해배상의 범위는 어디까지인지의 문제가 남는다.

1. 매매물건의 하자에 대한 책임

 영양제를 판매하는 것은 매매계약에 해당함은 당연하다. 그리고 김명의 수의사는 맛나사료에서 영양제를 사서 이윤을 붙여 이동주씨에게 판매하였으므로 소매상에 해당한다. 즉, 김명의 수의사와 이동주씨 사이에는 영양제의 매매계약이 있었던 것이다. 그리고 김명의 수의사는 영양제를 판매한 데 있어서 고의나 과실이 있다고 볼 수는 없을 것이다. 영양제에 곰팡이가 포함되어 있었다고 하더라도, 김명의 수의사가 포장된 내용물의 성분까지 확인하기는 어렵기 때문이다.

 한편 [민법] 제581조는 매매한 물건에 하자가 있을 때에는 매도인은 그 하자에 대하여 책임을 부담하도록 하고 있다. 이를 매도인의 하자담보책임이라고 하는데, [민법]은 하자담보책

임에 대하여 광범위하게 인정하고 있으며, 더욱이 매도인에게 고의나 과실이 없더라고 인정되는 책임이기도 하다.

김명의 수의사가 판매한 영양제에는 하자가 있었던 것이므로, 비록 김명의 수의사가 하자 있는 영양제를 판매한 데에 고의나 과실이 없었다고 하더라도, 김명의 수의사는 이동주씨에게 영양제의 하자담보책임을 부담하게 된다. 문제는 하자담보책임에서 인정하는 김명의 수의사의 책임의 범위가 어디까지인지이다.

2. 하자담보책임의 범위

매매계약상의 하자담보책임과 관련하여 매수인은 매도인에게 손해배상을 청구할 수는 있으나, 하자담보책임에서의 손해배상의 범위는 매매거래가 정상이었을 경우 매수인이 얻을 수 있었던 이익으로 한정된다.

이동주씨는 영양제의 하자로 인해 순돌이의 신부전증이라는 손해를 입었고 그 손해액은 치료비 100만원으로 볼 수 있다. (혹여 이동주씨가 위자료를 주장하더라도 위자료는 김명의 수의사의 고의나 과실이 있는 것을 전제로 하는 것이므로 위자료는 고려하지 않는다.) 한편 영양제에 하자가 없었다면 이동주씨는 순돌이가 영양제로 영양이 보충되는 이익을 얻었을 것이다. 그리고 영양제로 영양이 보충되는 이익을 환산한다면 영양제 대금인 10만원에 해당한다고 할 것이다.

김명의 수의사의 하자담보책임은 영양제가 정상이었을 경우 이동주씨가 얻을 수 있었던 이익을 한도로 하므로, 이동주씨가 영양제의 하자로 입은 손해가 100만원이더라도 김명의 수의사의 책임범위는 10만원에 한정되는 것이다.

그렇다면 이동주씨가 영양제의 하자로 인하여 순돌이의 신부전증이라는 손해를 입은 부분은 어떻게 배상을 받아야 할까? 위에서 살펴본 바와 같이, 김명의 수의사의 고의나 과실이 없더라도 인정되는 하자담보책임의 범위는 영양제의 가액이었다. 순돌이의 신부전에 대해서는 김명의 수의사의 고의나 과실이 있을 때에만 손해배상책임이 인정되는 것인데, 김명의 수의사의 고의나 과실은 인정하기 어렵다. 그러므로 김명의 수의사는 순돌이의 신부전증에 대해서는 배상책임을 부담하지 않는다.

반면 맛나사료는 적어도 하자 있는 영양제를 제조한 과실이 인정된다. 그러므로 이동주씨는 김명의 수의사가 아닌 맛나사료에게 신부전증에 대한 손해배상을 청구하여야 한다.

3. 김명의 수의사가 위탁매매한 경우는?

김명의 수의사는 맛나사료의 영양제를 싸게 구입해서 이윤을 붙여 재판매하였다. 이는 김명의 수의사가 영양제를 직접 매매한 것이 되는 것이다.

그러나 김명의 수의사가 직접 영양제를 판매하는 것이 아닌,

맛나사료의 영양제 판매를 위탁받아 판매하는 위탁판매의 경우라면 어떨까? 위탁판매인은 자기 명의로 거래를 하는 것이고, [상법] 제102조는 위탁매매인은 상대방에 대하여 직접 권리를 취득하고 의무를 부담한다고 정하고 있다. 대법원도 2012다72582 판결에서, 위탁매매인의 매수인에 대한 하자담보책임을 인정하였다. 그러므로 김명의 수의사가 맛나사료로부터 위탁을 받아 영양제를 판매하는 위탁매매인인 경우에도 하자담보책임을 부담함은 마찬가지이다.

8. 동물병원에서 발생한 사고

김명의 수의사는 대형 동물병원인 명의동물병원을 운영하고 있다. 그래서 항상 명의동물병원은 보호자들로 붐볐고, 직원들도 바쁜 업무에 여념이 없었다.

반려견 순돌이의 진료를 위해 명의동물병원에 내원한 이동주씨는 대기실에서 외투를 벗어놓고 진료를 받았다. 대기실에는 프론트데스크에서 박소란 직원이 손님 응대를 하고 있었다. 이동주씨가 진료를 받고 나온 후 외투에 있던 최신 은하계 휴대전화와 명품 지갑이 없어진 것을 발견하였다. 대기실에는 많은 사람들이 있어서 누가 이동주씨의 물건을 가져간 것이지 알 수 없었다. 박소란 직원이 CCTV를 확인한 결과, 손님이 아닌 사람으로 보이는 어떤 사람이 명의동물병원에 들어와 이동주씨의 물건을 가져갔고, 그때도 박소란 직원은 다른 업무를 보느라 주위를 살피지 못했다.

이동주씨는 김명의 수의사에게 명의동물병원에서 물건을 잃어버린 것이니 김명의 수의사가 손해를 배상할 것을 요구하였다. 하지만 김명의 수의사는 동물병원이 진료만 잘 해주면 되는 것이지 물품보관소도 아니므로 배상해줄 수 없다고 하였다. 그러면서 이럴 줄 알고 미리 '자기 물품은 각자 보관하시오. 분실시 책임지지 않음'이라는 안내문도 붙여놓

앉다고 하였다. 실제 명의동물병원 대기실에는 안내문이 크게 붙여져 있어서, 이동주씨도 그 안내문을 쉽게 볼 수 있었다.

한편 또 다른 보호자인 정묘주씨도 명의동물병원에서 자신의 반려묘 쌈순이의 진료를 받았다. 그런데 진료과정에서 반려묘 쌈순이의 신경이 예민해졌고, 정묘주씨가 쌈순이를 데리고 나가기 위해 안으려 하자, 쌈순이가 과민하게 발버둥쳐서 정묘주씨의 얼굴에 상처를 내고 말았다.

정묘주씨 역시 김명의 수의사에게 명의동물병원에서 진료를 받은 후 발생한 일이므로 배상을 해달라고 요구하였다. 하지만 김명의 수의사는 동물병원은 동물을 치료해주는 곳이지 행동을 교정해주는 곳이 아니고, 쌈순이가 난폭한 것은 보호자 책임이라며 역시 배상해줄 수 없다고 하였다.

김명의 수의사는 이동주씨의 도난품, 정묘주씨의 상처를 배상해줄 의무가 있을까?

수의사가 동물을 진료하는 것은 법률상 수의사와 동물 보호자 사이의 위임계약에 해당함은 이미 살펴본 바 있다. 그리고 진료의 위임계약의 주된 내용은 현재의 수의임상 수준에서 적절한 진료를 해주는 것임은 당연하다. 그런데 이동주씨와 정묘주

씨의 요구 사항은 수의사에게 적절한 진료를 넘어 동물병원에 내원한 사람의 재산과 신체를 보호할 의무까지 요구하는 것으로 해석할 수 있다. 이동주씨와 정묘주씨의 요구사항과 같은 보호의무는 수의사에게 인정되는 의무사항일까?

1. 이동주씨의 도난품에 대하여

보호자가 수의사에게 진료를 맡기는 것으로 법률상 계약관계가 형성되는데, 계약 내용에 수의사에게 동물 보호자의 생명, 재산 등을 보호할 보호의무가 명시된 것은 아니다. 그러나 대법원은 2002다63275 판결 등에서, 기본 계약관계상 각 당사자는 신의에 맞게 행동할 의무를 부담하며, 이 신의칙상 의무에는 보호의무도 포함된다고 판단하였다.

그에 따라 김명의 수의사는 명의동물병원 내의 보호자들의 생명과 재산을 지킬 의무도 부담하는데, 이에 따라 동물병원의 출입을 감독하는 등 도난을 방지할 적절한 조치를 취할 의무가 인정되는 것이다. 그리고 김명의 수의사의 이러한 의무는 자신이 직접 할 필요까지는 없고 직원을 통해서 하는 것도 가능하다. 그런데 박소란 직원은 대기실의 프론트데스크에서 응대를 하면서도 외부인의 출입 및 절취 등을 관리하지 못했으므로 보호의무를 충실히 이행하였다고 보기 어렵다.

그런데 김명의 수의사는 사고가 발생하기 전에 미리 각자 물

품을 잘 간수할 것과 명의동물병원이 책임지지 않을 것을 고지하였다. 미리 보호자들에게 보관에 주의할 것을 안내한 것이니, 그것으로 보호의무의 책임을 면하는 것은 아닐까?

 이에 대하여 대법원은 2002다63275 판결에서, 보관에 관한 주의를 촉구하면서 도난시 병원이 책임질 수 없다는 설명을 하였더라도 그것만으로 손해배상책임까지 면제되는 것은 아니라고 판단하였다. 이는 보호의무의 내용이 단순히 주의를 촉구하는 것만으로는 충분하지 않고 적극적인 보호행위까지 포함함을 인정한 판례라고 하겠다.

 그렇다면 이동주씨는 김명의 수의사에게 도난당한 물품 전액의 배상을 구할 수 있을까? 김명의 수의사에게 보호의무를 충분히 이행하지 못한 과실이 있을 수 있으나, 이동주씨에게도 자신의 물품을 제대로 보관하지 않은 과실이 인정된다. 그러므로 이동주씨의 과실비율을 산정하여, 이동주씨의 과실비율에 해당하는 만큼 과실상계로 배상금액을 감액함이 타당하다.

2. 정묘주씨의 상해에 대하여

 위에서 살펴본 바와 같이, 수의사에게는 동물병원의 관리와 관련하여 폭넓은 보호의무가 인정된다. 그렇지만 수의사의 보호의무의 내용은 진료행위 및 그와 밀접불가분한 관계에서 발생한 것에 한한다. 대법원은 92다13646 판결에서, 교사의 보호

의무는 교육활동 및 그와 밀접불가분한 생활관계에 한하며, 돌발적 사고에 대해서는 책임을 물을 수 없다고 판단하였다. 이러한 대법원 판례의 법리를 김명의 수의사의 경우에 적용해본다면, 정묘주씨가 쌈순이를 데리고 나가는 과정이 진료행위와 관계된 일이라고 보기 어렵고, 더욱이 보호자는 반려동물을 가장 잘 다룰 수 있는 자이므로 반려동물의 돌발적인 행동을 김명의 수의사가 방지하지 못한 과실을 인정하기도 어렵다. 그러므로 정묘주씨에 대하여는 김명의 수의사의 보호의무 위반의 손해배상책임이 인정되지 않는다.

3. 보호의무의 범위

이와 같이 수의사에게는 동물병원 관리와 관련한 보호의무가 인정되지만, 그 범위가 무제한적인 것은 아니다. 동물병원 내에서 발생한 사고 경위에 수의사 및 직원의 과실이 인정될 것인지 여부를 고려한 후 보호자와 협의를 진행하는 것이 합리적인 방안이 될 것이다.

9. 동물병원의의 설립 주체

김명의 수의사는 수년간 고용수의사로서 다양한 경력을 쌓고, 자신의 명의동물병원을 개설하려고 하고 있다. 갈수록 대형화하는 동물병원들 사이에서 경쟁력을 갖추기 위해 김명의 수의사는 많은 돈이 들더라도 명의동물병원을 대형 동물병원으로 설립하려고 한다. 마침 수의사는 아니지만 동물병원업에 관심이 많던 이전주씨가 명의동물병원 설립에 5억원을 투자하겠으니, 공동 경영을 하자고 제안했다. 명의동물병원에서 나오는 수익의 일정부분을 자신에게 지급해달라는 것이다. 김명의 수의사 역시 자금이 부족한 상황에서 이전주씨와 공동 경영을 한다면 수익의 일부를 이전주씨에게 나눠주더라도 성공가능성이 더 크다고 생각하고 있다. 김명의 수의사는 이전주씨와 더불어 명의동물병원을 설립하여 운영할 수 있을까?

수의사가 수의사가 아닌 자와 함께 동물병원을 운영하는 것은 [수의사법] 제17조를 위반하는 것이다. 갈수록 대형화 되어가

는 동물병원의 운영 추세 속에서, 경쟁력을 갖추기 위해 규모를 키우는 경우가 많아지고 있다. 그렇지만 대형 동물병원의 많은 인력과 넓은 물리적 공간을 확보하기 위한 운영자금 역시 수의사 개인이 부담하기도 갈수록 어려워지고 있다. 이런 상황에서 막대한 운영자금을 지원해줄 투자자는 수의사 입장에서는 뿌리치기 힘든 제안이 될 수 있다.

1. 수의사법에서 인정하는 동물병원 개설 주체

[수의사법] 제17조 제2항은 동물병원을 설립할 수 있는 주체를 한정하고 있다. 여기에는 (1) 수의사, (2) 국가 또는 지방자치단체, (3) 동물진료업을 목적으로 설립된 법인(동물진료법인) (4) 수의과대학 (5) 기타 비영리법인이 해당한다.

김명의 수의사는 당연히 수의사로서 동물병원 설립 주체가 되므로 명의동물병원을 설립하는 데 문제가 없다. 반면 이전주씨는 수의사가 아니므로, 동물진료법인이나 비영리법인을 설립할 수 있는지가 문제가 된다. 만일 이전주씨가 동물진료법인이나 비영리법인을 설립할 수 있다면 그 법인을 통해 명의동물병원을 설립하는 것이 가능하기 때문이다.

2. 이전주씨의 법인 설립 여부

가. 동물진료법인의 설립 여부

[수의사법]은 2013년에 동물진료법인의 설립에 대한 규정을 신설하였다. [수의사법] 제22조의2는 동물진료법인을 설립하기 위해서는 주사무소의 관할 시도지사의 허가를 받도록 규정하고 있다. 또한 제22조의4는 동물진료법인은 [민법]의 재단법인에 대한 규정을 적용하도록 하고 있다.

여기에서 동물진료법인에 적용되는 재단법인의 의미가 중요하다. 재단법인의 성격 및 권리 범위에 따라 동물진료법인의 운영 방식이 결정되기 때문이다.

우선, 법인이란 비록 자연인은 아니지만 사회적 활동을 하는 주체로서 법률이 그 실체를 인정하는 법률상 권리의무의 주체라고 할 수 있다. 다시 말해서 사람은 아니지만 사회적으로 사람과 동일한 행위를 할 수 있는 기관이라고 보면 되겠다.

법인은 그 종류를 몇 가지로 나눌 수 있는데, 영리법인과 비영리법인으로 나눌 수도 있으며, 사단법인과 재단법인으로 나눌 수도 있다.

영리법인이란 그 법인을 통해 이익을 남기고, 법인을 구성하는 사람들에게 이익을 분배하는 것을 목적으로 하는 법인이다. 대표적으로 주식회사를 들 수 있다. 반면 [민법] 제32조는 비영리법인에 대해서 규정하고 있는데, 학술, 종교, 자선, 기예, 사교 기타 영리 아닌 사업을 목적으로 하는 법인으로 정의하고 있으며, 영리가 목적이 아니므로 법인에서 발생한 수익을 구성원들에게 분배하지 않는 것을 특징으로 한다.

이와 별개로, 사단법인이란 일정한 목적을 위해 사람들이 모

인 단체로서 법인을 구성하는 구성원들의 변동과 무관하게 독립적으로 사단법인은 존속한다. 반면 재단법인이란 특정한 목적을 위해 조성된 재산을 법인으로 보는 것으로, 법인을 구성하는 것은 특정 목적을 위한 재산이지 재단에서 일하는 사람이 아닌 것이 특징이다.

즉, 재단법인은 사람으로 구성되지 않기 때문에 법인에서 발생한 수익을 구성원들에게 나누는 것 자체가 성립할 수 없다. 그러므로 재단법인은 모두 비영리법인에 해당한다. 그리고 비영리법인은 법인에서 발생한 수익을 법인을 설립한 구성원들에게 나누지 않는다.

이전주씨는 명의동물병원을 통해서 수익을 얻을 것을 기대하고 있다. 즉, 법인을 설립하면 그 법인이 얻은 수익을 설립자인 이전주씨에게 분배하여야 하는 것이다. 그런데 이전주씨가 동물진료법인을 설립한다고 하더라도 그 동물진료법인은 재단법인이 되어야 하고, 재단법인은 법인에서 발생한 수익(명의동물병원에서 발생한 수익)을 설립자인 이전주씨에게 분배할 수 없다. 그러므로 이전주씨는 동물진료법인을 설립해서는 수익을 얻을 수 없으므로 동물진료법인을 설립할 실익이 없는 것이다.

나. 비영리법인의 설립 여부

위에서 살펴본 바와 같이 비영리법인은 법인이 벌어들인 수익을 법인을 설립한 사람에게 분배할 수 없다. 더욱이 비영리법

인을 설립하기 위해서는 그 법인의 목적과 재원 등에 대하여 관할 지자체 또는 중앙주무관청의 허가를 얻어야 한다.

이전주씨는 명의동물병원을 통해서 수익을 얻을 것을 기대하는 것인데, 이와 같은 비영리법인을 통해서는 명의동물병원에서 얻은 수익을 가져갈 수 없을뿐더러, 수익을 얻을 목적으로 비영리법인의 설립을 해당 관청에 신청한다 하더라도 행정청의 허가를 얻기도 어렵다.

3. 공동운영인지 여부의 실질적 판단

이와 같이 이전주씨가 별개의 법인을 설립하여 명의동물병원을 운영하고 수익을 내는 것은 불가능하다. 그런데 여기에서 이전주씨가 우회적인 방법으로 명의동물병원을 운영할 수 있는 방법은 없는지 의문이 들 수 있다. 가령 이전주씨가 김명의 수의사에게 5억원을 대출해주는 것으로 서류를 작성하고 매달 일정 금액을 받는다거나, 이전주씨가 명의동물병원의 직원으로 등록하고 매달 일정 비율의 수익을 인센티브로 받는 경우를 생각할 수 있다.

[수의사법] 제17조는 수의사가 아닌 자의 동물병원 운영을 금지하고 있다. 여기에서 동물병원의 운영 여부는 서류상의 명목으로 판단하는 것이 아니라 실질적으로 동물병원이 어떻게 운영되는지를 기준으로 판단하게 된다.

이전주씨가 김명의 수의사에게 5억원을 대출해주는 것은 가능

하겠지만, 그것이 명의동물병원에 대한 투자가 아니라 대출이 되기 위해서는, 이전주씨가 매달 받는 이자가 명의동물병원의 수익 발생 여부, 수익이 발생했다면 얼마나 되는지와 무관하게 일정해야 할 것이다. 또한 이전주씨가 명의동물병원의 직원으로 등록하고 일을 한다고 하더라도, 일정 비율의 인센티브가 아니라 매달 일정한 급여를 받아야 한다.

 만일 이에 위반될 시에는 이전주씨가 얻는 수익의 명목이 대출이자 또는 인센티브라 하더라도 실질적으로 명의동물병원에 대한 공동운영으로 인정될 것이다.

10. 사무장 동물병원의 운영 유형과 처벌

평소 동물용 의약품 판매에 관심이 많던 이오남 약사는 대동물 농장주들과 거래를 이어오고 있었다. 이오남 약사는 농장들에 일반 의약품은 판매할 수 있으나 수의사의 처방전이 필요한 항생제는 판매를 하지 못하고 있었다. 이오남 약사는 지인 농장주인 박주선씨에게 수의사를 소개해달라고 하였다. 박주선씨는 김명의 수의사에게 동물용 항생제를 판매하려고 하는데 김명의 수의사의 명의만 빌려주면 된다며 이오남 약사를 소개해주었다.

김명의 수의사는 명의동물병원 개설 신고를 하였는데, 개원에 필요한 각종 장비와 의약품은 모두 이오남 약사가 비용을 댔다. 그리고 명의동물병원에서 발생하는 수익은 이오남 약사가 갖되, 김명의 수의사는 매달 급여를 받기로 하였다. 다만 김명의 수의사는 이오남 약사가 동물 진료를 보는 것은 무리라고 생각하여, 농장에서 명의동물병원에 항생제를 요청하면 직접 농장에 방문하여 동물 진료를 보고 처방전을 발급해주었다. 이오남 약사는 김명의 수의사가 발급한 처방전대로 자신의 약국에서 농장들에 항생제를 판매하였다.

그렇게 한동안 명의동물병원과 약국을 운영하다가, 김명의 수의사는 농장에서 필요로 하는 항생제가 대부분 유사하고, 이제는 이오남 약사도 농장들에 필요한 항생제를 처방할 수 있다고 생각되었다. 그래서 그때부터 김명의 수의사는 자신은 명의동물병원에 남아서 농장주들이 요청하는 대로 수의사처방관리시스템 e-vet을 통해 처방전을 발급해주거나, 혹은 이오남 약사가 농장에 방문하여 동물 진료를 본대로 처방전을 발급해주었다. 그리고 처방전대로 이오남 약사는 오남약국에서 항생제를 판매하였다.

 또 그렇게 한동안 명의동물병원과 약국을 운영하다가, 김명의 수의사는 굳이 자신이 e-vet을 통해 처방전을 발급할 필요도 없다고 생각되었다. 그래서 그때부터는 아예 e-vet의 아이디와 공인인증서는 이오남 약사에게 맡기고 알아서 처방전을 발급하도록 하였다.

 그러던 어느날 김명의 수의사와 이오남 약사, 박주선씨에 대해 수의사법 위반과 약사법 위반의 고발이 접수되었다. 김명의 수의사는 경찰 수사에서 운영 초기 자신 명의의 동물병원에서 자신이 직접 동물을 진료하고 처방전을 발급한 기간은 불법이 아니라고 주장하였다.

김명의 수의사는 이오남 약사의 비용과 책임으로 명의동물병원을 개설한 이래, 처음에는 자신이 직접 동물을 진료하고 처방전을 발급하였다. 그 후에는 직접 진료는 하지 않았으나 처방전은 직접 발급하였다. 나중에는 진료도 하지 않고 처방전도 발급하지 않았다.

이오남 약사는 자신의 비용과 책임으로 명의동물병원을 개설하고는 위와 같이 발행된 처방전으로 동물용 항생제를 판매해 왔다.

그리고 김명의 수의사와 이오남 약사를 연결해준 것은 박주선 씨였다.

위 각 사람들에 대한 법적 책임은 무엇인지, 특히 김명의 수의사가 자신 명의의 동물병원에서 직접 진료를 하고 처방전을 발급한 경우는 불법이 아닌 것인지에 대하여 살펴보자.

1. 명의동물병원 개설 이후 김명의 수의사가 직접 진료 후 처방전을 발급해준 기간

김명의 수의사는 자신의 이름으로 명의동물병원을 개원하였고 자신이 직접 동물 진료와 처방을 하였으므로 불법이 아니라고 주장하였다.

그러나 어떤 사업체의 실소유주가 누구인지는 형식적인 명의자로 결정되는 것이 아니라 실질적인 비용과 책임을 누가 부담하는지에 의해 결정된다. 명의동물병원이 비록 김명의 수의사

이름으로 등록되어 있었고, 김명의 수의사가 직접 진료를 해왔다고 하더라도 명의동물병원의 개설 비용은 이오남 약사가 부담하였고 그 수익도 이오남 약사가 수취하였다. 대신 김명의 수의사는 안정적으로 급여를 받아왔다. 즉 명의동물병원은 이오남 약사가 개설한 것이다. 후술하는 바와 같이 처방전을 발급하는 데에도 수의사 면허가 필요하겠지만 동물병원을 개설하는 데에도 수의사 면허가 필요하다. 김명의 수의사는 이오남 약사가 명의동물병원을 개설할 수 있도록 수의사 면허를 빌려준 것이며 이오남 약사는 동물병원 개원을 위해 면허를 빌린 것이다.

이와 관련하여, [수의사법] 제6조 제2항은 수의사 면허증을 다른 사람에게 빌려주거나 빌리거나 알선하여서는 안된다고 규정하고 있으며, 이를 위반하는 경우는 [수의사법] 제39조 제1항에 따라 2년 이하의 징역 또는 2천만원 이하의 벌금에 처해진다. 김명의 수의사는 명의동물병원을 개설하는 데 수의사 면허를 빌려준 행위, 이오남 약사는 면허를 빌린 행위, 박주선씨는 이를 알선한 행위로 모두 [수의사법] 제6조 제2항 위반이 성립하는 것이다. 그리고 이는 김명의 수의사가 직접 동물을 진료하였다고 하더라도 그와 무관하게 명의동물병원을 개설하는 행위만으로 성립하는 위법행위이다.

또한 [수의사법] 제17조 제2항은 수의사가 아니면 동물병원을 개설하지 못하도록 규정하고 있는데, 이오남 약사는 김명의 수의사로부터 면허를 빌린 후 명의동물병원을 개설하는 행위까

지 하였다. 그러므로 이는 [수의사법] 제17조 제2항 위반에 해당하며, [수의사법] 제39조 제1항에 의해 역시 2년 이하의 징역 또는 2천만원 이하의 벌금에 처해진다. 또한 김명의 수의사는 이오남 약사의 동물병원 개설을 도와준 것으로 볼 수 있다. 따라서 김명의 수의사는 이오남 약사의 [수의사법] 제17조 제2항 위반의 방조가 인정될 것이다.

명의동물병원을 개설하는 하나의 행위가 2개 규정의 위반에 해당하는 것이다.

2. 명의동물병원 개설 이후 김명의 수의사가 직접 진료는 하지 않고 처방전은 직접 발급해준 기간

위에서 본 바와 같이 진료 및 처방전 발급과 무관하게 명의동물병원을 개설한 것만으로 면허 대여가 인정된다. 즉 명의동물병원을 개설하고 있는 상태에서는 계속하여 수의사 면허를 빌려주고 빌린 상태가 유지되는 것이다. 그리고 위와 마찬가지로 [수의사법] 제6조 제2항과 제17조 제2항 위반에 해당한다.

그리고 이 기간에는 김명의 수의사 대신 이오남 약사가 동물을 진료하였으며, 김명의 수의사는 처방전은 직접 발급해주었다.

[수의사법] 제12조 제1항은 수의사는 자기가 직접 진료하지 않고는 처방전을 발급하지 못하고 처방대상 동물용 의약품을 처방, 투약하지 못하도록 규정하고 있다. 김명의 수의사는 자

신이 진료하지 않은 상태에서 농장의 요청대로 또는 이오남 약사가 진료한 내용대로 동물용 항생제에 대해 처방전을 발급해 주었다. 직접 진료한 이후에만 처방전을 발급할 수 있으므로 김명의 수의사는 [수의사법] 제12조 제1항을 위반한 것이다. 그리고 [수의사법] 제41조 제2항에 따라 100만원 이하의 과태료가 부과된다.

한편 [수의사법] 제10조는 수의사가 아니면 동물을 진료할 수 없도록 하고 있다. 이오남 약사는 수의사가 아님에도 불구하고 동물을 진료함으로써 [수의사법] 제10조를 위반하였다. 이러한 경우는 [수의사법] 제39조 제1항에 의해 역시 2년 이하의 징역 또는 2천만원 이하의 벌금에 처해진다. 그리고 김명의 수의사는 이오남 약사의 불법적인 동물 진료에 대한 방조가 인정될 것이다.

즉 위 기간동안 [수의사법] 제6조 제2항, 제17조 제2항, 제12조 제1항, 제10조 위반에 해당한다.

3. 명의동물병원 개설 이후 김명의 수의사가 직접 진료도 하지 않고 처방전도 직접 발급하지 않은 경우

위에서 본 바와 같이 명의동물병원의 개설이 계속되는 기간동안 김명의 수의사와 이오남 약사는 면허를 빌려주고 빌린 위법 행위가 지속된다. 또한 김명의 수의사는 직접 진료를 하지 않고 처방전을 발급하였으며, 이오남 약사가 동물 진료를 하였다.

따라서 [수의사법] 제6조 제2항, 제17조 제2항, 제12조 제1항, 제10조 위반이 인정된다.

이에 더하여, 처방전을 발급하기 위해서는 e-vet에 접속하여 아이디와 공인인증서를 입력하여야 한다. 그리고 이는 수의사 면허를 활용하는 행위이다. 김명의 수의사는 e-vet 아이디와 공인인증서를 아예 이오남 약사에게 맡겼으므로, 이오남 약사에게 수의사 면허를 빌려준 것이다. 즉, 명의동물병원을 개설하는 데에도 면허를 빌려준 것이고, e-vet을 활용하는 데에도 면허를 빌려준 것이다. 이와 같은 경우 법적 책임의 범위는 수의사 면허 대여로 동일하지만 처벌 등 책임의 무게는 더 무거워진다.

4. 약사법 위반 여부

이오남 약사는 위와 같이 불법적으로 발급받은 처방전을 통해 자신의 약국에서 동물용 항생제를 판매하였다. 이는 약사법 위반에는 해당하지 않을까.

[약사법] 제44조와 제85조는 약국 개설자 또는 동물병원 개설자가 아니면 동물용 의약품을 판매할 수 없도록 하고 있다. 그런데 이오남 약사가 동물용 항생제를 판매하기 위해 [수의사법]을 위반하기는 하였으나, 약국 개설자이므로 동물용 항생제를 판매할 수는 있다. 따라서 [약사법] 위반은 성립하지 않는다.

하지만 약국 개설자가 아닌 자가 이오남 약사처럼 수의사 면허를 빌려서 명의동물병원을 개설하고, 명의동물병원에서 동물용 항생제를 판매하였다면 [약사법] 위반까지 성립한다.

II. 동업 동물병원에서 의사결정의 기준

김명의 수의사는 친구인 이동기 수의사와 함께 명의동물병원을 운영하고 있다. 김명의 수의사와 이동기 수의사는 각자 개원을 하는 것보다 함께 자금을 모아서 더 큰 규모로 개원하는 것을 택한 것이다. 당초 개원비용은 총 5억원이 들었는데, 김명의 수의사가 3억원, 이동기 수의사가 2억원을 출자하였다. 그리고 수익도 60%를 김명의 수의사가 갖고, 40%를 이동기 수의사가 갖기로 하였다.

두 사람은 큰 규모로 명의동물병원을 운영하였고, 상당한 수익을 얻을 수 있었다. 하지만 김명의 수의사는 내심 당초 기대에는 미치지 못하였다. 이동기 수의사와 개업을 할 때에는 큰 규모로 개원을 하는 만큼 훨씬 많은 수익을 기대한 것이었다. 김명의 수의사는 아무래도 동물병원의 위치를 잘못 잡은 것 같다는 생각이 들었다.

김명의 수의사는 이동기 수의사에게 명의동물병원을 시내의 번화가로 이사하자고 제안하였다. 하지만 이동기 수의사는 이사비용도 많이 들고, 현재의 영업 상황에 만족하므로, 명의동물병원을 현상태로 유지하자고 하였다. 두 사람의 입장은 좀처럼 좁혀지지 않았다.

> 결국 김명의 수의사는 비록 이동기 수의사가 이사를 거부
> 한다고 하더라도, 자신이 60%의 자본을 투자하였고, 수익
> 도 60%를 가져가고 있으므로 독자적으로 결정을 할 수 있
> 다고 생각되었다. 김명의 수의사는 법적으로 명의동물병원
> 의 이사를 강행하고 싶다.

동업 관계에서는 단독으로 동물병원을 운영하는 경우와 달리 법적인 문제가 발생할 가능성이 더 높다. 또한 점차 대형 동물병원이 늘어나면서 동업 관계도 많이 형성되고 있다.

김명의 수의사와 이동기 수의사는 명의동물병원을 매개로 재산관계가 형성하게 되었다. 즉, 명의동물병원의 재산은 김명의 수의사나 이동기 수의사 어느 한 사람의 독자적인 재산과는 분리되는 별개의 재산인 것이다. 이를 합유관계라고 하는데, 단순히 어떤 물건을 공동으로 소유하는 공유관계와는 법적으로 구분되는 재산형태이다. 그렇다면 합유관계와 공유관계를 구분하는 기준은 무엇일까?

1. 조합의 재산관계 및 그 기준

공유관계는 특정한 목적 없이 어떤 물건을 공동 소유하는 것

인 반면, 합유관계는 공동사업이라는 특정 목적을 위해 공동소유하는 경우이다. 김명의 수의사와 이동기 수의사는 동물진료업을 운영하겠다는 목적으로 상호 자금을 출자하여 명의동물병원을 개원하였다. 그러므로 명의동물병원은 이러한 목적이 없는 다른 일반 재산과는 구분할 필요성이 있다. 이에 법률은 김명의 수의사와 이동기 수의사가 동업을 하기로 약정함으로써 자동적으로 둘 사이에 조합이 형성된 것으로 규정하는 것이다. 즉, 김명의 수의사와 이동기 수의사로 이루어진 조합이 명의동물병원을 운영하는 것이며, 김명의 수의사와 이동기 수의사 각자는 조합원이 되는 것이다.

이와 같이 동물진료업의 목적 하에 김명의 수의사와 이동기 수의사 사이에 조합이 형성되었으므로, 여기에는 일반적인 공유 관계와 다른 몇가지 특성이 부여된다.

2. 동업의 운영 결정 방식

[민법] 제706조는 조합의 업무집행은 조합원 과반수로 결정하도록 정하고 있다. 김명의 수의사와 이동기 수의사 각자가 조합원임은 살펴보았고, 명의동물병원의 운영 방식은 조합원의 과반수로 결정하는 것이다.

그런데 여기서 조합원의 과반수의 기준이 조합원이 갖는 지분이 기준이 되는지 아니면 조합원의 인원수가 기준이 되는지가 문제된다. 만일 명의동물병원에 대한 지분이 기준이 된다면 김

명의 수의사는 60%의 지분을 갖고 있으므로 과반이 된다. 반면 인원수가 기준이 된다면 김명의 수의사는 두 명 중 한 명으로 절반에 해당할 뿐 과반이 되는 것은 아니다.

이에 대하여 대법원은 2008다4247 판결에서, 조합원의 출자액이 아닌 인원수의 과반이어야 한다고 판시하였다. 만일 지분이 기준이라면 법문도 조합원의 과반수로 결정하는 것이 아니라 조합원의 지분 비율의 과반수로 결정한다고 되었을 것이기 때문이다. 그러므로 김명의 수의사는 전체 조합원의 절반일 뿐이므로, 이동기 수의사의 동의 없이는 명의동물병원 이사를 강행할 수 없다.

3. 불법적으로 이사를 강행하는 경우라면

혹여 김명의 수의사가 법적으로는 할 수 없는 명의동물병원 이사를 억지로 강행한다면 어떤 후속 문제가 발생할까?

김명의 수의사는 명의동물병원 운영조합이 결정하지 않은 이사 방침을 강행한 것이므로, 이로 인한 손해를 배상해야 한다. 그리고 김명의 수의사가 이와 같이 이사를 강행하는 것은 김명의 수의사가 명의동물병원 운영조합에서의 제명사유가 될 수 있다. 이는 조합원의 탈퇴에 해당한다.

4. 동업 관계에서는 모두 인원수가 기준인 것일까?

이와 같이 인원수의 과반으로써 명의동물병원의 운영방식을 결정해야 한다면, 다른 권리관계도 모두 인원수가 기준이 되어야 하는 것일까? 가령 김명의 수의사가 더 많은 출자를 하였으나, 수익도 인원수대로 절반씩 나누어야 하는 것인지 의문이 들 수 있다.

운영방식의 결정과 같이 인원수를 기준으로 산정하는 조합원의 권리를 공익권이라고 한다. 하지만 공익권 외에 지분에 따라 행사할 수 있는 권리, 즉 자익권도 있다. 동업을 통한 이익분배권이 대표적인 경우이다.

이익분배 비율은 원칙적으로 투자한 자금에 비례한다. 다만 조합원들이 임의로 비율을 결정할 수도 있다. [민법] 제711조는 조합 관계에서 당사자들이 별도로 손익분배비율을 정하지 않았다면 출자가액에 비례하도록 정하고 있다. 김명의 수의사와 이동기 수의사는 명의동물병원에 출자한 금액에 비례하여 수익도 안분하고 있으므로 이는 적법한 분배방식이다.

12. 동업 동물병원의 제명과 탈퇴, 해산

김명의 수의사는 친구인 이동기 수의사와 함께 명의동물병원을 운영하고 있다. 김명의 수의사와 이동기 수의사는 각자 개원비용을 절반씩 부담하였고, 업무시간도 동일하게 부담하기로 약정하였다. 하지만 실제 동물병원을 운영하다보니 김명의 수의사가 보기에 이동기 수의사의 진료가 불성실한 면이 많이 눈에 띄었다. 김명의 수의사는 여러 번 개선할 것을 요청하였지만 좀처럼 변하는 것은 없었다. 그러는 사이 보호자들도 이동기 수의사보다 김명의 수의사를 찾는 경향을 띠었고, 김명의 수의사는 자신이 명의동물병원을 이끌어나갈 뿐 이동기 수의사는 별다른 기여가 없는 것처럼 보였다.

김명의 수의사는 결국 이동기 수의사와 결별하고 혼자서 명의동물병원을 운영해야겠다고 마음먹었다. 김명의 수의사는 이동기 수의사에게 투자금을 돌려주겠으니 명의동물병원에서 떠날 것을 요청하였다. 하지만 이동기 수의사는 일언지하에 거절하며, 나가고 싶다면 김명의 수의사가 나가라고 맞섰다. 그러는 사이 김명의 수의사와 이동기 수의사는 서로 신뢰관계가 크게 훼손되는 상태에 이르렀다.

김명의 수의사도 명의동물병원에서 나가 새로 동물병원을 개원하는 것도 고려하였으나, 지금까지 명의동물병원의 기반을 잡은 것도 큰 자산이고, 자신은 이동기 수의사보다 열심히 일했으므로 자신이 나갈 이유는 없다고 생각한다. 그리고 설령 자신이 새로 동물병원을 개설하는 경우에도, 인근에 명의동물병원이 남아 있으면 새로운 동물병원의 영업에 불리할 것으로 예상되므로, 자신이 나간다면 명의동물병원도 같이 정리하고 싶다.

김명의 수의사는 이동기 수의사를 명의동물병원에서 내보내거나, 명의동물병원을 해산, 청산하고 새로 출발할 수 있을까?

김명의 수의사와 이동기 수의사는 명의동물병원이라는 동업을 개시함으로써 사업체를 매개로 한 조합을 결성한 것임을 알아보았다. 그리고 김명의 수의사가 이동기 수의사에게 명의동물병원에서 떠날 것을 요청하였는데, 이동기 수의사가 자발적으로 떠나지 않는다면 제명에 의할 수밖에 없다. 김명의 수의사는 이동기 수의사의 불성실한 진료를 이유로 조합에서 제명시키는 것이 가능할까? 그리고 만일 이동기 수의사를 조합에서 제명시킬 수 없다면 명의동물병원 동업을 종료하는 방법은 무

엇이며 어떤 법률관계가 따를지 알아보자.

1. 조합원의 제명사유

명의동물병원은 김명의 수의사와 이동기 수의사로 구성된 조합이고, 조합에서 조합원은 일정한 요건 하에 탈퇴 또는 제명이 가능하다. 탈퇴는 조합원이 자발적으로 조합에서 나가는 것이고, 제명은 해당 조합원의 의사에 반하여 다른 조합원들이 조합에서 내보내는 것이다.

이러한 제명과 관련하여서 [민법] 제718조 제1항은 "조합원의 제명은 정당한 사유가 있는 때에 한하여 다른 조합원의 일치로써 결정한다."라고 정하고 있다. 법률은 모든 경우를 일일이 적시할 수는 없으므로 '정당한 사유'라는 추상적인 문구로 규정할 수밖에 없다. 문제는 이동기 수의사가 진료를 불성실하게 하는 경우가 제명의 '정당한 사유'가 되는지 여부이다.

조합원을 제명하기 위해서는 조합원의 본질적인 의무사항을 불이행하였다는 객관적인 근거가 필요하다. 그런데 수의사에게는 진료 내용에 대하여 상당한 재량권이 인정되므로, 김명의 수의사의 주관적인 판단에 따를 때 이동기 수의사의 진료가 부실하다는 것은 객관적으로 이동기 수의사가 동업관계에서의 의무를 불이행하였다는 것으로 인정되기 어렵다. 그러므로 객관적인 근거에 의해 이동기 수의사가 동업자로서의 의무를 이행하지 않았다는 점이 인정될 정도가 되어야 할 것이며, 김명의

수의사가 보기에 이동기 수의사의 진료가 불성실하다는 것을 이유로 조합에서 제명하는 것은 현실적으로 쉽지 않다.

2. 명의동물병원의 탈퇴 및 법률관계

김명의 수의사가 이동기 수의사와 동업을 종료하는 방식은 탈퇴에 의한 경우와 해산에 의한 경우가 있다. 대법원은 2013다29714 판결에서, 탈퇴는 잔존하는 조합원이 동업사업을 유지하는 경우를 전제로 특정 조합원이 조합원의 지위에서 벗어나는 것인 반면, 해산은 조합 소멸을 위해서 동업사업의 활동을 중지하고 조합재산을 정리하는 단계에 들어가는 것이라고 판시하였다. 우선, 김명의 수의사가 명의동물병원 운영조합에서 탈퇴하는 경우의 법률관계에 대하여 살펴보자.

[민법] 제716조에 의해, 조합에서 동업의 존속기간이 정해져 있지 않은 경우 조합원은 언제든 탈퇴할 수 있다. 동업의 존속기간이 정해져 있는 경우에도 부득이한 사유가 있는 경우는 탈퇴가 가능한데, 부득이한 사유에는 신뢰관계가 훼손된 경우도 해당한다고 할 것이다. 그러므로 김명의 수의사는 명의동물병원 운영조합에서 탈퇴할 수 있다.

명의동물병원은 김명의 수의사와 이동기 수의사 두 명으로 이루어진 조합이므로, 김명의 수의사가 탈퇴를 한다면 이동기 수의사 혼자만 남게 되어 둘 사이의 동업관계도 종료하게 된다.

그리고 동업관계가 종료하니, 남은 재산이었던 명의동물병원도 청산하여 김명의 수의사와 이동기 수의사가 나누어 가져야 할 것으로 생각할 수 있다.

하지만 대법원은 2004다49693 판결에서, 이와 같이 2인 조합의 경우에는 1인의 탈퇴로 조합관계는 종료하지만, 조합이 자동으로 해산하거나 청산하는 것은 아니라고 판단하였다. 이 판례의 법리에 따를 때, 김명의 수의사가 명의동물병원에서 나간다면 김명의 수의사와 이동기 수의사의 동업관계는 종료하는 것이지만, 동업하기로 한 재산인 명의동물병원이 매각되거나 청산되는 것은 아니라는 것이다. 김명의 수의사가 탈퇴하는 경우, 김명의 수의사는 탈퇴에 따른 정산금을 지급받겠지만, 동업목적의 재산이었던 명의동물병원은 이동기 수의사의 단독 소유로 귀속된다. 그리고 김명의 수의사에게는 당초의 동업계약에 따라 이동기 수의사가 명의동물병원을 사용하는 데에 협조할 사항도 있을 수 있다. 가령 김명의 수의사가 출자한 명의동물병원의 임대차보증금에 대하여 임의대로 임대인에게 임대차계약을 해지하고 임대차보증금을 반환하여 달라고 청구할 수 없는 것이다.

즉, 김명의 수의사는 이동기 수의사를 명의동물병원 운영조합에서 제명하는 것이 어려운데, 그렇다고 김명의 수의사가 조합에서 탈퇴하는 방식으로는 명의동물병원을 청산할 수는 없다.

3. 명의동물병원의 해산 및 법률관계

동업관계의 조합을 종료하는 방식은 해산에 의하는 경우도 있다. [민법] 제720조는 "부득이한 사유가 있는 때에는 각 조합원은 조합의 해산을 청구할 수 있다."라고 규정하고 있는데, '부득이한 사유'가 있다고 인정되면 김명의 수의사는 명의동물병원 운영조합을 해산할 수 있는 것이다.

그리고 대법원은 2007다48370 판결 등에서, '부득이한 사유'란 조합의 목적달성이 매우 곤란하다고 인정되는 객관적인 사정이 있거나 조합 당사자 간의 불화·대립으로 인하여 신뢰관계가 파괴됨으로써 조합 업무의 원활한 운영을 기대할 수 없는 경우를 뜻한다고 판시하였다. 즉, 동업자들끼리 신뢰관계가 파탄에 이르러 동업을 더 할 수 없는 경우는 조합을 해산할 수 있는 부득이한 사유에 해당한다는 것이다.

김명의 수의사는 이동기 수의사와의 신뢰관계가 크게 훼손되는 상태에 이르렀으므로 명의동물병원 운영조합의 해산을 청구할 수 있다. 김명의 수의사가 이동기 수의사에게 조합 탈퇴가 아닌 조합 해산을 청구함으로써 조합은 청산절차에 들어간다. 청산절차에서 명의동물병원을 제3자에게 매각하고, 그것을 김명의 수의사와 이동기 수의사의 각 출자금액에 비례하여 안분하게 된다.

I3. 동업 동물병원의 정산시 고려사항

　김명의 수의사는 친구인 이동기 수의사와 함께 명의동물병원을 운영하고 있다. 개원비용은 총 4억원이 들었는데, 김명의 수의사와 이동기 수의사는 각자 절반씩 부담하였고, 업무시간도 동일하게 운영하며 손익도 균분하기로 하였다. 하지만 실제 명의동물병원을 운영하다보니 김명의 수의사는 이동기 수의사의 명의동물병원에 대한 기여가 없다고 판단되었고, 이동기 수의사와의 신뢰관계도 크게 훼손되어, 이동기 수의사와 결별하기로 마음먹었다.

　김명의 수의사는 이동기 수의사에게 자신이 명의동물병원에서 나가 인근에서 동물병원을 새로 개원하겠으니 자신의 지분만큼 정산하여 지급할 것을 요청하였다.

　이동기 수의사는 김명의 수의사가 나간다면 혼자서 명의동물병원을 운영하기가 어렵다고 판단하여 김명의 수의사가 마음대로 나가는 것은 안된다며 거부하였다. 실제 김명의 수의사가 없으면 명의동물병원은 사실상 업무가 마비될 정도였다.

　하지만 김명의 수의사가 나가겠다는 의지가 확고하자, 이동기 수의사는 정그렇다면 관리수의사를 구하고 그 관리수

의사가 업무에 적응할 수 있도록 3개월 후에 나갈 것을 요청하였다. 그리고 이동기 수의사는 김명의 수의사가 나갈 때에 김명의 수의사의 투자금 2억원만 돌려주겠다고 하였다. 그리고 김명의 수의사가 명의동물병원에서 나가는 것은 명의동물병원의 지분만큼 영업을 자신에게 양도하는 것이므로, 인근에 동물병원을 새로 개원하지 말고 아예 다른 지역에서 개원할 것을 요청하였다.

하지만 김명의 수의사는 하루라도 빨리 새로운 동물병원을 준비해야 하고, 현재의 명의동물병원은 자신이 기여한 바가 훨씬 크므로 2억원보다 훨씬 많은 금액을 받아야 한다고 생각한다. 그리고 명의동물병원을 운영하면서 보호자들로부터 신뢰를 쌓아왔으므로 인근에서 개원을 할 필요도 있다.

김명의 수의사가 명의동물병원의 해산을 청구한다면 청산절차에 들어가겠지만, 해산이 아니라 명의동물병원에서 자신이 나가는 탈퇴를 청구하는 경우에 구체적인 정산 방법은 어떻게 되는지 살펴보자.

1. 김명의 수의사는 즉시 명의동물병원에서 나갈 수 있을까?

김명의 수의사가 명의동물병원에서 나가겠다는 것은 조합에서의 임의탈퇴를 청구하는 것이다. 그런데 이동기 수의사는 김명의 수의사의 탈퇴를 거부하고 있다.

[민법] 제716조에 의해, 조합에서 동업의 존속기간이 정해져 있지 않은 경우 조합원은 언제든 탈퇴할 수 있다. 동업의 존속기간이 정해져 있는 경우에도 부득이한 사유가 있는 경우는 탈퇴가 가능한데, 부득이한 사유에는 신뢰관계가 훼손된 경우도 해당한다고 할 것이다.

명의동물병원 운영조합의 경우, 명의동물병원이 존속하는 동안 조합도 그대로 존속하며, 이는 김명의 수의사 또는 이동기 수의사에게 있어서 종신적으로 유지되는 조합이다. 그러므로 김명의 수의사는 이동기 수의사가 거부한다고 하더라도 위 [민법] 제716조에 따라 언제든지 명의동물병원에서 나가는 것이 가능하다.

다만, 이동기 수의사는 김명의 수의사가 나가더라도 관리수의사를 둘 수 있도록 3개월 후에 나갈 것을 요청하였다. 이에 대하여 [민법] 제716조 제1항 단서는 부득이한 사유가 없다면 조합에게 특별히 불리한 시기에 탈퇴하는 것은 불가능하도록 정하고 있다. 이동기 수의사 혼자서는 명의동물병원을 운영하는 것이 사실상 불가능하므로, 그 기간이 반드시 3개월이어야 하는 것은 아니지만 김명의 수의사는 이동기 수의사가 관리수의사를 구할 기간은 부여해야 할 것이다.

2. 김명의 수의사는 투자금 외의 자금도 정산금으로 청구할 수 있을까?

　조합에서 조합원이 탈퇴하는 경우는 남은 조합원과 탈퇴하는 조합원은 정산금을 정산하여야 한다. 그런데 정산금의 기준은 어떻게 산정하는 것일까? 투자한 원금의 회수로 정산금 지급은 충분한 것일까?

　이에 대하여 대법원은 2004다49693 판결 등에서, 정산금의 기준은 탈퇴 당시의 조합의 재산을 기준으로 산정하는 것이며, 여기에서의 조합의 재산에는 투자한 물적 설비뿐만 아니라 눈에 보이지 않는 영업권까지 포함되어야 한다고 판단하였다. 그리고 탈퇴자에게 지급하는 지분은 출자자산가액이 아니라 손익분배비율을 기준으로 하여야 한다고 판단하였다.

　김명의 수의사는 투자 원금 2억원만 회수하는 것이 아니라, 명의동물병원에서 나가는 시점의 명의동물병원의 재산으로 산정한 금액에서 일정 부분을 정산금으로 청구할 수 있다. 그리고 명의동물병원의 재산은 김명의 수의사가 쌓아올린 영업권까지 포함되어 산정되어야 하며, 김명의 수의사는 이동기 수의사와 명의동물병원의 손익을 절반씩 부담하기로 하였으므로 명의동물병원의 재산 중 절반을 정산금으로 청구할 수 있는 것이다.

　그리고 대법원은 2011다67699 판결 등에서, 영업권의 산정방법으로 주식가치 평가방법을 준용할 수도 있고, 사업체의 정상

적인 거래가격을 기준으로 할 수도 있는 등 당해 조합의 상황
과 업종 특성 등을 종합적으로 고려하여 결정하여야 한다고 하
였다.

3. 김명의 수의사는 인근에서 동물병원을 개원할 수 있을까?

[상법] 제41조에 의해, 사업체를 양도하는 경우 양도인은 인
근에서 동일한 사업체를 다시 개업할 수 없다. 이를 양도인의
경업금지의무라고 하는데, 영업을 양도하는 양도인에게 적용되
는 법적 의무사항이다.

이동기 수의사는 김명의 수의사에게, 명의동물병원에서 나가
는 것은 명의동물병원의 지분을 자신에게 양도하는 것이나 마
찬가지이므로, 인근에서 다시 동물병원을 개원하지 말 것을 요
구하고 있다. 김명의 수의사가 영업양도의 양도인이라고 할 수
있을지가 문제이다.

그런데 최근 대법원은 2022다200249 판결에서, 의사에 대해
[상법]이 적용되는 상인에 해당하지 않는다고 판시하였는데,
그렇다면 수의사에게도 동일한 법리가 적용될 수 있다. 그렇다
면 김명의 수의사도 [상법]상 영업양도와 관련한 규정이 적용
되기 어려운 것이다.

그리고 그 전에 김명의 수의사의 조합 탈퇴는 [상법]이 아닌
[민법] 제716조에서 규정하고 있는 것이다. 그러므로 [상법]상
의 경업금지의무는 애당초 김명의 수의사에게 적용될 사항이

아니다. 따라서 김명의 수의사는 명의동물병원에서 나온 후 인근에서 바로 동물병원을 개원하는 것이 가능하다.

14. 동업식 동물미용사의 지위

김명의 수의사가 운영하는 명의동물병원 한켠에는 반려동물의 미용실이 구비되어 있다. 다만 미용은 이동업 미용사와 동업계약을 맺고 이동업 미용사가 업무를 보게 하였다. 계약의 내용은 명의동물병원의 보호자 중 미용을 하는 경우는 일정 비율로 이동업 미용사와 김명의 수의사가 수익을 안분하되, 다만 이동업 미용사의 복지를 위해 형식적으로 4대보험에는 가입을 시켜주고 그 보험료는 김명의 수의사가 부담하는 것이었다. 대신 명의동물병원의 개원 시간에는 이동업 미용사도 기본적으로 동물병원에 상주하도록 하였고, 명의동물병원에서의 미용 외에 다른 미용업무는 금지되었다.

그렇게 1년의 계약기간이 만료하였으나, 김명의 수의사와 이동업 미용사는 별도의 계약의 연장 여부에 대하여는 아무런 얘기가 없었다. 그리고 3개월이 흐른 후 김명의 수의사와 이동업 미용사 사이에 갈등이 발생하였다. 결국 김명의 수의사는 이동업 미용사에게 1년의 계약기간이 끝났으니 동물병원에서 나갈 것을 요청하였다. 하지만 이동업 미용사는 단골 손님도 있으니 나갈 수 없다고 하였고, 나간다면 퇴직

금까지 지급할 것을 요구했다. 최근 마지막 3개월은 이동업 미용사가 평균 200만원의 수입을 얻고 있었다.

 김명의 수의사는 이동업 미용사를 명의동물병원에서 내보낼 수 있을까? 이동업 미용사가 명의동물병원에서 나간다면 퇴직금을 지급해야 할까?

 김명의 수의사와 이동업 미용사 사이의 동업계약은 1년으로 정하고 있었고, 그 기간이 도과되었으므로 둘 사이의 계약은 종료된 것처럼 보인다. 하지만 계약의 성질이 무엇인지에 따라 그 적용범위의 기간은 달라질 수 있다. 그리고 그 계약의 성질에 따라 김명의 수의사와 이동업 미용사의 법적 지위도 달라지게 된다. 그러므로 김명의 수의사와 이동업 미용사 사이의 계약의 성질부터 알아보자.

1. 이동업 미용사는 개인사업자일까? 근로자일까?

 김명의 수의사와 이동업 미용사는 동업계약이라는 명칭 하에 계약을 체결하였지만, 그 계약의 내용은 이동업 미용사가 미용의 근로를 제공하는 것이 주된 내용이다. 이에 이동업 미용사를 동업자인 개인사업자로 볼 것인지 아니면 근로자로 볼 것인

지가 문제된다.

[근로기준법]은 근로자를 직업의 종류와 관계없이 임금을 목적으로 사업장에 근로를 제공하는 자라고 정의한다. 그리고 어떤 계약의 당사자가 근로자인지 아니면 개인사업자인지를 구분하는 기준에 대하여 대법원은 2018다229120 판결 등에서, 그 계약의 명칭에 구속받지 않고, 계약에서 정하는 실질적인 업무형태를 기준으로 판단하여야 한다고 판시하였다.

그리고 대법원은 이어서 근로자 여부의 판단 기준의 구체적인 사항으로서, 업무 내용을 사용자가 정하고 지휘·감독을 하는지, 사용자가 지정한 근무시간과 근무장소에 근로자가 구속받는지, 근로자가 직접 작업장·비품 등을 소유하며 자신의 계산으로 사업을 영위하는지, 보수의 성격이 근로 자체로부터 대체된 것인지, 사회보장제도에서 근로자의 지위를 인정받는지 등을 들고 있다.

김명의 수의사와 이동업 미용사 사이의 동업계약에 대하여도 이러한 대법원 판례의 입장을 적용해본다면, 그 명칭은 동업계약이지만 명칭에 구속되는 것은 아니며, 업무내용은 상호 합의한 것이라고 하더라도, 이동업 미용사의 근무시간과 근무장소는 명의동물병원의 영업시간에 맞추도록 하였고, 미용실은 명의동물병원 내에 김명의 수의사가 마련한 장소이며, 이동업 미용사의 수입은 미용의 근로를 제공한 것으로부터 대체된 것이고, 원칙적으로 근로자만 가입이 가능한 4대보험에 이동업 미용사가 가입한 것 등에 비추어, 이동업 미용사는 개인사업자가

아닌 근로자로 인정받을 가능성이 높다.

그러므로 김명의 수의사와 이동업 미용사 사이의 동업계약은 그 명칭이 '동업계약'이라고 되어 있음에도 불구하고, 근로계약으로 간주되고 이동업 미용사도 근로자로서의 법적 지위를 인정받는 것이다. 그리고 자동적으로 김명의 수의사는 사용자가 된다.

2. 1년의 계약기간이 도과하여 근로계약은 종료된 것일까?

위 동업계약이 실제는 근로계약으로 인정된다고 하더라도, 계약기간은 1년으로 정하였고, 1년 3개월이 도과되었다. 그렇다면 이동업 미용사는 계약이 종료되었으므로 명의동물병원에서 나가야 하는 것일까?

위에서 살펴본 바와 같이 '동업계약'은 근로계약에 해당하는데, 근로계약에는 묵시적 갱신이 인정된다. 즉, 근로계약의 기간이 끝난 후에도 근로자는 계속 근로를 제공하고, 사업주도 이의를 제기하지 않는 경우라면, 기존의 근로계약과 동일한 조건으로 근로계약이 갱신된 것으로 간주하는 것이다. 김명의 수의사와 이동업 미용사는 1년이 도과된 후에도 동일하게 업무를 보았으므로, 이동업 미용사는 기존과 동일하게 1년의 근로기간이 보장된다. 그리고 이와 같이 묵시적 갱신이 된 후 3개월의 시간만 지났을 뿐이므로 아직 9개월의 근로기간은 남아있는 것이다.

그러므로 김명의 수의사는 계약기간이 종료되었다는 이유로 바로 이동업 미용사를 명의동물병원에서 내보낼 수는 없다.

3. 김명의 수의사는 이동업 미용사에게 퇴직금을 지급해야 할까?

위에서 살펴본 바와 같이, 이동업 미용사는 명의동물병원에서 계속하여 근무할 수 있다. 하지만 이동업 미용사도 퇴사에 동의한다면 명의동물병원에서 나가는 것은 아무런 문제가 없다. 그런데 이동업 미용사는 명의동물병원에서 나간다면 퇴직금 지급을 요구하고 있는데 김명의 수의사는 퇴직금을 지급해야 하는지, 지급해야 한다면 그 금액은 얼마일까?

김명의 수의사와 이동업 미용사 사이의 동업계약은 실질은 근로계약이었으므로 이동업 미용사는 근로자의 지위를 갖는다. 그리고 [근로자퇴직급여 보장법] 제8조 제1항은 근로자가 1년씩 근로를 제공하였을 때마다 30일분 이상의 평균임금을 퇴직금으로 지급하도록 하고 있다. 그리고 평균임금은 퇴직 직전의 3개월의 평균수입을 기준으로 산정하므로, 이동업 미용사는 최근 3개월의 평균 수입이었던 200만원의 퇴직금을 지급받을 수 있다.

퇴직금은 법에서 강력하게 보장하고 있어서, 만일 김명의 수의사가 퇴직금 지급을 거부한다면 [근로자퇴직급여 보장법]에 따라 형사처벌도 가능하므로, 주의가 필요하다. 그리고 이동업

미용사와의 관계에 적용된 법리는 비단 미용사뿐만 아니라 동물병원에서 근무하는 다른 직원들에게도 동일하게 적용될 수 있음을 염두에 두고 신중히 계약을 체결하는 것이 필요하겠다.

15. 전문 동물병원과 전문의 표시

김명의 수의사는 명의동물병원을 운영하면서 반려견의 슬개골탈구 수술을 여러건 수행해왔다. 김명의 수의사는 점차 슬개골탈구 수술에 자신감이 붙었다. 이에 김명의 수의사는 '정형외과 전문 명의동물병원'이라는 문구로 간판과 각종 홍보물을 제작하였다. 김명의 수의사의 적극적인 홍보 덕분에 슬개골탈구 수술 외에도 각종 골절, 탈구 수술도 점차 늘었다. 김명의 수의사는 다른 정형외과 수술도 경험이 쌓였다고 생각되어 명의동물병원 간판과 홍보물에 '동물 정형외과 전문의 김명의'라는 문구를 추가하였다.

반려견 순돌이의 보호자 이동주씨는 명의동물병원 홍보를 보고 내원하였다. 순돌이는 노령견이었는데 대퇴골에 심한 골절이 있었다. 수술에 자신감이 생긴 김명의 수의사는 순돌이가 노령견이라 골절 유합이 잘 안될 것이라 여겨 자가해면골 이식을 해보기로 하였다. 그런데 김명의 수의사는 순돌이의 상완근에 천공을 내는 중 상완근에도 골절을 유발하고 말았다. 이동주씨는 정형외과 전문의가 이런 실수를 하느냐고 항의하면서 전문의 자격증을 보여달라고 요구하였다. 김명의 수의사가 전문의 자격증을 보여주지 못하자, 이

동주씨는 명의동물병원을 '정형외과 전문 동물병원'으로 홍보하는 것도 불법이라며 법적 조치를 취하겠다고 항의하였다.

[수의사법] 제32조와 [수의사법 시행령] 제20조의2는 허위 또는 과대 광고를 하는 경우 1년 이하의 면허정지 사유로 규정하고 있다. 김명의 수의사의 경우 문제되는 것은 자신을 '동물 정형외과 전문의'로 홍보한 것과 명의동물병원을 '정형외과 전문 동물병원'으로 홍보한 것이다. 각 경우를 나누어 살펴보자.

1. 전문의 명칭

현재 수의사에 대해서는 인의(人醫)와 달리 전문의 제도가 도입되어 있지 않다. 하지만 전문의란 전문 지식을 갖춘 의사라는 의미이므로 비록 김명의 수의사가 전공의 과정을 거쳐 전문의 자격을 취득한 것이 아니라고 하더라도 전문의라고 할 수 있는 것은 아닐까?

이에 대해 서울행정법원은 2006구합38250 판결에서, 수의사가 전문의라는 표현을 사용하는 것을 금하는 판결을 한 바 있다. 해당 판례에서 법원은 정형외과 같은 특정 분야는 수의사

의 업무 중 일부에 불과한 점, 따라서 전문의라는 표현은 일반 소비자가 보기에 수의사들 중에서도 해당 분야에 대한 전공의 과정을 거쳐 전문의 자격을 취득한 수의사로 오인하게 할 가능성이 충분한 점, '전문의'라는 표현은 일반적인 '전문가'라는 표현보다 의료 관련 법령에 의하여 자격을 인정받은 자로 이해되는 점을 들어 '전문의' 표현의 사용을 금하였다.

이러한 판례의 판단에 따라, 인의에서 인정되는 전문의 제도는 일반 소비자들에게도 널리 알려져 있는바, 전문의가 단순히 경험이 많은 의사를 뜻하는 것을 넘어 전문적인 전공의 과정과 시험을 거친 의사로 인식되는 경향이 있는 것을 감안한다면, 김명의 수의사가 '동물 정형외과 전문의'로 홍보한 것은 허위 또는 과대 광고에 해당한다고 하겠다.

한편, 법률에서 정하는 전문의 제도가 아니더라도 전문의를 표방하는 공식 기구에서 인증된 수의 자격을 취득한 경우는 해당 자격을 표시할 수 있다. 가령 아시아수의피부과전문의의 자격을 취득한 경우라면 해당 자격증을 표시하는 것이 가능하다. 그것은 공식적인 자격이므로 허위 또는 과장된 표시가 아니기 때문이다. 다만, 해당 자격의 명칭을 그대로 표시해야 허위·과장이 아닌 것이며, 일반에게 알려진 전문의처럼 수정하여 표시한다면 허위·과장이 될 수 있음을 주의해야 한다.

이와 같이 '전문의'가 허위 또는 과대광고에 해당한다면 [수의사법]에 따라 면허정지 처분을 받게 되는데, [수의사법 시행규칙] 제24조는 1회 적발시 15일, 2회 적발시 1개월, 3회 이상

적발시 6개월의 면허정지 처분을 하도록 하고 있다.

2. 전문 진료분야

김명의 수의사는 정형외과 전문의라는 표현을 사용할 수 없는데, 그렇다면 명의동물병원도 정형외과 전문 동물병원으로 홍보할 수 없는 것일까. 이에 대해 수의사법 등 법률에서는 명시적인 규정을 두고 있지는 않다. 하지만 위 법원 판례에서 수의사의 전문의 표현 사용을 금지한 이유를 통해 전문 진료분야의 홍보에 대해서도 판단해볼 수 있다.

위 판례에서 법원은 '전문의'를 사용할 수 없는 주된 이유로 전문의는 일반적인 전문가와 달리 의료 관련 법령에 의해 자격을 인정받은 자로 이해되는 점을 들었다. 즉, '전문의'는 일반적인 의미의 '전문'보다 전공의 과정을 거쳤다는 특별한 의미가 추가된 표현이라는 것이다.

반면 '정형외과 전문 동물병원'은 전공의 과정을 거쳤다는 의미 등이 추가된 표현이 아니라 '전문'이라는 단어의 사전적 의미 그대로 정형외과를 전문적으로 진료한다는 의미이다. 따라서 이는 일반 소비자에게 혼란을 일으킬 수 있는 표현이라고 할 수 없으므로, 김명의 수의사는 '정형외과 전문 동물병원'이라는 표현을 사용할 수 있다고 하겠다.

16. 유사한 이름의 동물병원이 있는 경우

김명의 수의사의 명의동물병원은 진료를 잘하는 곳으로 명성을 얻고 있고 TV에도 출연하는 등 성황리에 영업 중이었다. 명의동물병원은 반려동물 보호자 사이에서 전국적으로 유명세를 타고 있었다. 그래서 김명의 수의사는 '명의동물병원'의 상표 등록도 모두 마쳤다.

이러한 명의동물병원의 유명세에 기대고자 이모용 수의사는 강남에 동물병원을 개원하면서 병원 이름을 '강남명의동물병원'으로 하였고, 병원 간판의 디자인도 명의동물병원의 간판 디자인과 유사하게 제작하였다. 강남명의동물병원 인근의 보호자들은 강남명의동물병원이 김명의 수의사의 명의동물병원의 강남지점으로 오해하고 내원하여 진료를 받았다. 그러나 이모용 수의사는 진료상 과오로 보호자들과 마찰이 자주 발생하곤 하였다. 김명의 수의사는 이러한 사실을 모르고 있다가 이모용 수의사와 분쟁이 있던 보호자들의 항의로 알게 되었다. 김명의 수의사는 이모용 수의사를 상대로 어떠한 조치가 가능할까?

만일 김명의 수의사가 이모용 수의사에게 명의동물병원의 상호를 사용할 것을 허락하였다면 김명의 수의사는 손해배상을 청구한 보호자들에게 배상책임을 질 것이다. 하지만 이모용 수의사는 명의동물병원의 이름을 모용한 것이기에 당연히 김명의 수의사는 보호자들에 대한 배상책임이 없다.

한편 김명의 수의사 역시 이모용 수의사로부터 피해를 입고 있는 상황이다. 이와 같은 경우 김명의 수의사는 특허청에 상표권을 등록한 경우 추가적인 법적 보호를 받을 수 있다. 김명의 수의사가 이모용 수의사를 상대로 법적으로 강구할 수 있는 조치는 무엇이 있을까?

1. 상표권 침해 여부

우선, 김명의 수의사가 민·형사상 조치를 취하기 위해서는 이모용 수의사가 명의동물병원의 상표권을 침해한 것이어야 하므로, 상표권 침해 여부를 먼저 판단하여야 한다. 김명의 수의사는 특허청에 '명의동물병원'을 상표등록함으로써 상표권을 얻게 되며, 상표권의 침해행위에 대하여는 [상표법] 제108조 제1항이 규정하고 있다. 이 규정에서는 '타인의 등록상표와 동일 또는 유사한 상표를 그 지정상품과 동일 또는 유사한 상품에 사용하거나 사용하게 할 목적으로 교부·판매·위조·모조 또는 소지하는 행위'를 상표권 침해행위로 보고 있다. 이모용 수의사는 '명의동물병원'과 유사한 '강남명의동물병원'이라는 상표를 동일

한 업종인 동물병원업에 사용하였으므로, 상표권을 침해한 것이다. 그러므로 김명의 수의사는 상표권자로서 상표법에 규정된 조치를 취할 수 있다.

다만 '강남명의동물병원'과 '명의동물병원'은 이름도 유사하고 간판 디자인도 유사하므로 유사한 상표인 것이 명백하지만, 양 상표가 유사한 것인지 여부가 애매한 경우도 있다. 이에 대해 대법원은 2013후1900 판결 등에서, 일반 수요자의 관점에서 판단하되, 양 상표를 나란히 놓고 대비하는 것이 아니라 때와 장소를 다르게 양 상표를 보았을 때를 기준으로 유사한지 여부를 판단해야 한다고 하였다. 이는 상표의 유사성을 비교적 폭넓게 인정하는 것이다. 양 상표를 나란히 놓고 대비하는 경우는 상표의 작은 차이도 확연히 구분이 가능하지만, 일반 수요자가 때와 장소를 달리하여 양 상표를 보는 경우는 작은 차이는 구분하기 어렵기 때문이다.

2. 민사상 조치

가. 상표권 침해금지청구

[상표법] 제107조 제1항은 '상표권자 또는 전용사용권자는 자기의 권리를 침해한 자 또는 침해할 우려가 있는 자에 대하여 그 침해의 금지 또는 예방을 청구할 수 있다.'라고 규정하고 있다. 김명의 수의사는 타인이 '명의동물병원'과 유사한 상표를

사용하는 것을 금지시킬 수 있는 것이다. 즉, 이모용 수의사는 김명의 수의사로부터 금지 청구를 받으면 '강남명의동물병원'이라는 상표나 간판을 사용할 수 없다.

나. 상표권 침해 금지 가처분

위의 상표권 침해금지청구를 소송으로 제기하는 경우는 많은 시간이 소요된다. 그러므로 김명의 수의사는 소송이 끝나기 전이라도 우선적으로 '강남명의동물병원'의 간판을 사용하지 못하도록 할 필요가 있다. 상표권 침해금지가처분 신청을 하면 소송이 끝나기 전이라도 이보다 훨씬 빠르게 결정을 받아서 '강남명의동물병원' 상표나 간판 사용을 금지키실 수 있다.

다. 손해배상청구

[상표법]은 상표권을 침해하는 경우의 손해배상청구에 대하여 특별규정을 두고 있다. 이는 일반적인 손해배상청구보다 상표권을 침해하는 경우의 손해배상청구를 보다 용이하게 함으로써 상표권을 강하게 보호하기 위함이다.

[상표법] 제112조는 상표권을 침해한 자의 고의를 추정하고 있다. 일반적인 손해배상청구에서는 피해자가 가해자의 고의를 증명해야 하는데, 상표법에서는 상표권 침해자가 고의적으로 침해한 것으로 추정하고 침해자가 고의가 없었음을 입증하도록

하여, 상표권자의 손해배상청구를 용이하게 하는 것이다.

또한 [상표법] 제110조는 손해배상액을 용이하게 인정될 수 있도록 추정하고 있는데, 이 역시 일반적인 손해배상청구에서는 피해자가 자기가 입은 손해액을 입증하여야 하는 부담을 덜어주는 것이다.

라. 신용회복청구

[상표법] 제113조는 상표권침해자가 상표권자의 업무상의 신용을 실추하게 한 경우 손해배상과 함께 상표권자의 신용회복을 위한 조치를 하게 하도록 규정하고 있다. 이모용 수의사는 의료과실 등으로 김명의 수의사의 명의동물병원의 신용을 실추시켰다고 볼 수 있다. 이런 경우 법원은 이모용 수의사로 하여금 명의동물병원의 신용을 회복하는 조치를 취하도록 명령을 내릴 수 있다. 가령 이모용 수의사로 하여금 강남명의동물병원은 명의동물병원과 무관한 병원임을 공고·홍보하도록 하는 것도 가능한 조치라 하겠다.

3. 형사상 조치

[상표법] 제230조는 상표권 및 전용사용권의 침해행위를 한 자에 대한 형사처벌도 규정하고 있다. 위에서 본 바와 같이 이모용 수의사는 김명의 수의사의 상표권을 침해한 것이므로 김

명의 수의사는 이모용 수의사를 상표법 위반으로 고소할 수 있을 것이다.

17. 보호자의 부당행위에 대한 조치

이동주씨의 반려견 순돌이는 김명의 수의사가 운영하는 명의동물병원에서 수술을 받았다. 하지만 김명의 수의사는 마취 중 환기조절을 제대로 하지 못했고, 순돌이는 호흡부전으로 결국 사망했다. 이동주씨는 반려견 순돌이가 죽자 김명의 수의사에게 거칠게 항의하였다. 김명의 수의사 또한자신의 과실을 인정하고 배상을 해주려 했지만, 이동주씨는어떠한 합의도 하려 하지 않았고 김명의 수의사에 대한 적개심만 드러낼 뿐이었다. 이동주씨는 명의동물병원에 매일같이 찾아와 자신의 반려견 순돌이를 살려내라며 고함을 치곤했으며 김명의 수의사가 나가달라고 한참을 말려도 말을듣지 않았다. 또한 여러번 명의동물병원에 전화를 걸어 폭력배들을 동원하여 김명의 수의사를 가만두지 않겠다고 협박도 하였다. 결국에는 명의동물병원 앞에서 1인시위도 진행했다. 펫말에는 김명의 수의사가 마취를 잘못하여 순돌이가 죽었다는 내용을 적었다. 김명의 수의사도 처음에는 미안한 마음에 이동주씨의 행동을 참으며 찾아들기만을 기다렸지만 좀처럼 그럴 기미가 보이지 않자 이동주씨를 상대로조치를 취하려 한다. 김명의 수의사의 과실에 의해 순돌이

가 사망한 경우라도 김명의 수의사는 어떤 법적 조치를 취할 수 있을까?

김명의 수의사의 과실에 의해 환자가 사망한 경우하면 김명의 수의사는 일정한 배상책임을 지게 된다. 하지만 김명의 수의사가 배상책임을 질 때 지더라도 이동주씨의 행위가 정당화되는 것은 아니다. 김명의 수의사가 이동주씨를 상대로 취할 수 있는 민형사상의 법적 조치에 대해 알아보자.

1. 접근금지가처분

김명의 수의사의 입장에서는 당장 이동주씨가 명의동물병원에 찾아오지 못하도록 하는 것이 가장 중요한 문제이다. 김명의 수의사는 법원에 이동주씨가 명의동물병원에 접근하지 못하도록 막아달라는 접근금지가처분을 신청할 수 있다. 가처분을 신청하기 위해서는 이동주씨가 명의동물병원에 수시로 찾아오고 있으며, 그로 인해 명의동물병원의 영업에 방해가 발생함을 소명하여야 한다. 동물병원에서 소란을 피우는 것은 영업상 방해로 당연히 인정될 수 있다.

접근금지가처분이 법원에서 인정받게 되면, 법원은 이동주씨

에게 명의동물병원으로부터 일정한 반경 이내에는 접근하지 말 것을 명하며, 만일 이를 어길 시에는 일정한 배상액을 부과하게 된다.

2. 형사 고소

이동주씨의 각 행위는 김명의 수의사에 대한 범죄를 구성한다. 김명의 수의사는 이동주씨의 각 행위마다 해당하는 죄목에 대하여 관할 경찰서에 고소장을 접수할 수 있다. 형사 고소 자체가 이동주씨의 행위를 강제로 막는 것은 아니지만, 형사 고소를 통해 이동주씨를 간접적으로 제재할 수 있을 것이다.

가. 명의동물병원에 찾아와 고함을 친 행위

1) 주거침입죄/퇴거불응죄

이동주씨는 고함을 치며 명의동물병원에 출입하였다. 이는 [형법] 제319조 제1항의 주거침입죄에 해당한다. 주거침입죄란 주인의 의사에 반하여 주거·건조물 등에 침입하여 주거의 평온을 깨뜨리는 죄로서, 3년 이하의 징역 또는 500만원 이하의 벌금에 처해진다. 주거침입죄는 공개된 장소라 하더라도 그 장소의 평온이 깨진다면 성립하는 범죄로, 동물병원처럼 개방되어 있는 장소라 하더라도 관리자가 출입을 제한할 수 있는 것이므

로 관리자의 제지에도 불구하고 소란을 피우면서 건물에 출입하는 것은 주거침입죄가 성립한다.

또한 이동주씨는 김명의 수의사의 나가달라는 요청에 불응하였으므로 [형법] 제319조 제2항의 퇴거불응죄에도 해당한다. 퇴거불응죄란 주거침입죄와 유사한 죄로서, 출입은 제지 없이 자유롭게 하였더라도 주거·건조물 등에서 퇴거 요구를 받고도 응하지 않을 경우에 성립하며, 역시 3년 이하의 징역 또는 500만원 이하의 벌금에 처해진다.

2) 명예훼손죄

이동주씨는 명의동물병원 안에서 순돌이를 살려내라며 고함을 쳤다. 만일 명의동물병원 안에 다른 손님들이 있었다면, 이동주씨는 김명의 수의사의 의료과실을 퍼뜨린 것이다. 이는 김명의 수의사의 사회적 평가를 침해할 만한 사실을 다른 사람들에게 퍼뜨린 행위이므로, [형법] 제307조 제1항의 명예훼손죄에 해당한다. 명예훼손죄란 다른 사람의 사회적 평가를 침해할 수 있는 사실을 퍼뜨리는 죄로서, 2년 이하의 징역 또는 500만원 이하의 벌금에 처해진다. 여기서 중요한 것은 퍼뜨리는 사실이 허위의 사실이 아니라 진실인 경우에도 명예훼손죄가 성립한다는 것이다. 물론 허위의 사실을 퍼뜨릴 경우에는 가중처벌된다. 관련하여, 명예훼손의 방법이 인터넷을 이용하는 경우는 [형법]이 아닌 [정보통신망법]이 적용된다.

3) 업무방해죄

이동주씨는 명의동물병원에 찾아와서 순돌이를 살려내라며 고함을 쳤다. 만일 이동주씨의 고함이 병원의 직원들이나 다른 고객들에게 위협감이 들게 할 정도였다면 [형법] 제314조의 업무방해죄에 해당한다. 업무방해죄란 허위사실을 유포하거나 위계·위력으로써 업무를 방해하는 죄로서, 5년 이하의 징역 또는 1천500만원 이하의 벌금에 처해진다. 위력이란 다른 사람의 자유의사에 혼란을 일으키는 행위인데, 이동주씨가 고함친 행위가 경우에 따라 위력이 될 수 있는 것이다.

나. 명의동물병원에 전화를 하여 협박한 행위

1) 협박죄

이동주씨는 명의동물병원에 전화를 걸어 김명의 수의사를 가만두지 않겠다고 협박하였다. 이는 [형법] 제238조 제1항의 협박죄에 해당한다. 협박죄란 말 그대로 타인을 협박하는 죄로서, 3년 이하의 징역 또는 500만원 이하의 벌금에 처해진다. 여기서 김명의 수의사가 이동주씨의 협박에 공포심을 느꼈는지 여부는 문제가 되지 않으며, 이동주씨가 정말로 김명의 수의사를 해할 의사가 있었는지 여부도 문제되지 않는다. 이동주씨가 협

박의 말을 한 것만으로 협박죄는 성립하는 것이다.

2) 업무방해죄

위 이동주씨가 명의동물병원에서 소란을 피운 것이 업무방해죄가 되는 것과 별도로 지나치게 자주 전화를 하는 것도 업무방해죄가 될 수 있다. 대법원은 2004도8477 판결에서, 대부업체가 채무자에게 전화공세를 한 것은 업무방해에 해당한다고 판시한 바 있다. 상당한 범위를 벗어나는 전화도 업무을 방해하는 위력이 될 수 있는 것이다.

다. 1인시위를 한 행위

1) 명예훼손죄

이동주씨는 피켓에 김명의 수의사의 과실행위를 적어서 1인시위를 하였다. 1인시위가 합법이므로 1인시위는 범죄가 되지 않는다고 생각할 수 있으나, 1인시위 자체는 합법적인 행위라도 이동주씨는 1인시위를 통하여 김명의 수의사의 명예를 훼손한 것이므로 이는 명예훼손죄에 해당한다.

다만 명예훼손은 공익을 위해 진실한 사실을 알리는 경우는 인정되지 않는다. 그러나 하급심 판례이긴 하지만 대전지방법원 2013고정244 판결은, 성형외과 앞에서 1인시위를 한 경우

그 1인시위는 성형외과를 이용하는 사람들뿐만 아니라 거리를 지나는 모든 사람에게 알리는 것이므로 공익을 위한 행위로 볼 수 없다고 판시한 바 있다.

3. 민사상 손해배상청구

가. 영업손실에 대한 손해배상청구

이동주씨의 행위로 명의동물병원의 매출이 감소하였다면, 김명의 수의사는 이동주씨를 상대로 영업손실에 대한 손해배상을 청구할 수 있다. 다만 이를 위해서는 이동주씨의 행위가 매출 감소에 미친 영향을 증명해야 하는 것이 문제될 수 있다.

나. 위자료청구

김명의 수의사는 이동주씨의 행위로 정신적으로 많은 고통을 당했을 것이므로, 이에 대한 위자료를 청구할 수 있다. 보호자의 정당한 항의는 인정될 수 있어도 법률이 보호하는 정당한 범위를 초과하는 경우는 위법행위가 되기 때문이다.

18. 동물병원에 대한 비방글

김명의 수의사는 명의동물병원을 운영하고 있다. 포탈사이트의 반려동물 애호 카페 회원인 이동주씨는 반려견 순돌이에게 혈뇨 증상이 나타나자 명의동물병원을 찾았다. 한방진료를 전문으로 하였던 김명의 수의사는 순돌이의 병명을 하초습열로 진단하였다. 그러나 순돌이의 증상은 더 악화되기만 했다. 결국 이동주씨는 다른 동물병원을 찾았고, 그곳에서는 순돌이에 대해 방광염과 결석 진단을 내렸다.

이동주씨는 김명의 수의사에게 치료비 환불을 요구했으나, 김명의 수의사는 이를 거절했다. 그러자 이동주씨의 비방글이 인터넷 게시판에 오르기 시작했다. 여러 반려동물 애호 카페에 "강남의 ㅁㅇ동물병원, 오진을 부정한다.", "ㅁㅇ동물병원의 김XX수의사, 사과도 안하고 책임질 줄 모른다."라는 식의 비방글을 각 카페의 '나쁜 동물병원' 게시판에 올린 것이다. 정확하게 동물병원 이름을 거론한 것은 아니지만 명의동물병원을 아는 사람들이라면 이동주씨가 지칭하는 대상이 명의동물병원인 것은 알 수 있는 글이었다. 이에 김명의 수의사는 이동주씨의 게시글에 대해 법적 조치도 고려하고 있다.

동물병원은 보호자들의 평판이 무엇보다 중요한 반면, 동물병원에 대한 비판글은 수시로 마주할 수 있다. 이런 경우 수의사는 어떠한 조치를 취할 수 있을지 알아보자.

1. 인터넷 포탈사이트에 비방글의 삭제 청구

김명의 수의사에게 가장 필요한 일은 신속하게 비방글을 삭제하는 것이다. [정보통신망 이용촉진 및 정보보호 등에 관한 법률(정보통신망법)] 제44조의2 제1항에서는, 인터넷에 올라온 정보가 사생활 침해나 명예훼손에 해당하는 경우 피해자는 인터넷 업체에 침해사실을 소명하여 그 정보를 삭제하거나 반박글을 올릴 수 있도록 규정하고 있다. 여기에서 소명한다는 것은 침해사실을 확실하게 증명할 필요까지는 없고 침해사실이 있다고 짐작될 정도로만 규명하면 되는 것을 말한다.

그리고 동법 제44조의2 제2항에 따라 피해자의 청구를 받은 인터넷업체는 해당 글을 삭제하거나 블라인드 등의 조치를 해야 하고 신청인(김명의 수의사)과 정보게재자(이동주씨)에게 조치를 취했음을 알려야 한다. 만일 게시판에 올라온 글이 명예훼손인지 명확하지 않은 경우는 인터넷업체는 30일 이내로 비방글에 대한 접근을 제한할 수 있고, 김명의 수의사는 그 사이에 다음과 같은 법적 조치를 취할 수 있다.

2. 가처분 신청

김명의 수의사는 아래의 민사재판을 시작하기 전에도 게재금지가처분 등을 신청할 수 있다. 이동주씨의 비방글이 김명의 수의사의 영업을 방해하고 명예훼손이 될 수 있음을 이유로, 이동주씨로 하여금 기존 비방글을 삭제하고 더 이상 동일한 취지의 글을 올리지 못하도록 법원에 신청하는 것이다. 법원은 김명의 수의사의 신청이 타당하다고 판단하면 이동주씨가 해당 글을 내리고 다시 유사한 글을 게재하지 못하도록 명령을 내리며, 만일 법원의 명령에도 불구하고 이동주씨가 글을 내리지 않거나 유사한 글을 다시 올리는 경우는 김명의 수의사에게 일정액의 배상금을 지급하도록 강제한다.

3. 민사상 손해배상 등의 청구

이동주씨의 글로 인해 명의동물병원은 매출이 감소할 수 있다. 그럴 경우 김명의 수의사는 이동주씨에게 병원 매출 감소에 대한 손해배상을 청구할 수 있다. 다만, 명의동물병원의 매출 감소가 이동주씨의 글 때문이라는 점은 김명의 수의사가 증명해야 하는데, 현실적으로 비방글과 매출 감소 사이의 인과관계를 증명하는 것이 쉬운 일이 아니라는 문제점이 있다.

대신 김명의 수의사는 이동주씨에게 정신적 손해의 배상인 위자료를 청구할 수 있는데, 김명의 수의사는 이동주씨의 글로 인해 정신적인 피해를 입은 것은 충분히 인정될 수 있기 때문

이다.

그런데 만일 김명의 수의사가 정말로 오진을 한 것이고, 이동주씨가 오진 사실에 대해 글을 올린 경우에도 명예훼손과 위자료가 인정될까? 명예훼손은 적시된 사실이 진실인지 허위인지 불문하고, 상대방의 사회적 평가를 보호하기 위한 것이다. 따라서 설령 김명의 수의사가 오진을 하였더라도 명예훼손과 그로 인한 위자료 청구는 인정될 수 있다. 다만, 허위의 사실을 적시하는 경우에 비해 위자료 액수나 형사 처벌의 형량은 적게 인정될 것이다.

김명의 수의사는 이동주씨를 상대로 명예회복에 대한 적당한 조치를 청구할 수도 있다. 민법 제764조는 타인의 명예를 훼손한 자에 대하여는 법원이 피해자의 청구에 따라 명예회복에 적당한 처분을 명할 수 있도록 규정하고 있다. 이는 금전배상만으로는 명예훼손에 대한 구제가 불충분한 경우가 많으므로 특별히 따로 규정을 둔 것이다. 적당한 처분은 판결문을 게재하는 등 상황에 맞게 법원이 결정하게 된다.

4. 형사상 명예훼손 고소

위 [정보통신망법] 제70조 제1항은 "사람을 비방할 목적으로 정보통신망을 통하여 공공연하게 사실을 드러내어 다른 사람의 명예를 훼손한 자는 3년 이하의 징역 또는 3천만원 이하의 벌

금에 처한다."고 규정하고 있다. 이동주씨의 게시글이 김명의 수의사의 명예를 훼손하는 것으로 인정될 수 있으므로, 김명의 수의사는 이동주씨에 대해 형사고소를 할 수 있다. 다만, 이는 직접적으로 이동주씨의 게시글을 삭제하는 효과가 있는 것은 아니고 형사처벌을 통해 이동주씨로 하여금 글을 삭제하도록 압박하는 효과가 있을 것이다.

그리고 형사상 명예훼손죄 역시 진실한 사실을 올리는 경우도 명예훼손죄에 해당할 수 있다.

5. 허위사실의 게시글을 올린 경우라면

만일 김명의 수의사는 제대로 치료를 하였으나, 이동주씨가 김명의 수의사에 대한 악감정으로 사실과 다르게 김명의 수의사가 오진을 하였다고 허위사실을 올렸다면 어떻게 될까?

이러한 경우에도 위에서 본 조치가 모두 가능하다.

그리고 이에 추가하여, 형사상 명예훼손죄뿐만 아니라 영업방해죄도 성립한다. 허위사실을 올리는 경우는 위계로 명의동물병원의 영업을 방해한 것이 되어 영업방해죄도 추가되는 것이다. 또한 명예훼손죄에 있어서도 [정보통신망법] 제70조 제2항은 허위사실을 게시한 경우는 실제 사실을 게시한 경우보다 더욱 가중 처벌하고 있다.

그리고 만일 이동주씨가 인터넷 게시판에 글을 쓴 것이 아니라 언론에 기사를 제보하여 보도되도록 한 것이라면 정정보도

청구가 가능하다.

19. 명예훼손의 위법성 조각과 모욕

이동주씨는 김명의 수의사의 명의동물병원에서 반려견 순돌이의 중성화수술을 받았다. 그런데 김명의 수의사가 마취제를 과다투여하면서 순돌이는 호흡마비로 수술 중 사망하고 말았다. 이동주씨는 김명의 수의사에게 적절한 배상을 요구하였다. 김명의 수의사는 내심 자신의 과실을 인지하면서도 이동주씨의 요구를 들어주면 다음에도 보호자의 항의를 모두 들어주어야 할지도 모른다고 생각하였다. 그래서 김명의 수의사는 이동주씨의 요구에 모르쇠로 일관하였고, 이동주씨가 명의동물병원에 방문하면 오히려 이동주씨에게 화를 내거나 경찰에 신고를 하기도 하였다. 그리고 모든 진료비도 강제적으로 징구하였다.

이동주씨는 자신이 활동하는 애견동호회에 명의동물병원에 대한 게시글을 올렸다. 순돌이가 ㅁ동물병원에서 중성화수술 중 출혈이 심하여 사망하였다는 것과 ㅁ동물병원은 과실을 인정하지 않았고 자신의 배상 요구는 무시당했다는 것, 다른 회원들은 ㅁ동물병원에서 유사한 피해를 입은 일이 없었으면 좋겠다는 내용이었다.

한편 이동주씨의 게시글에 흥분한 박선동씨는 그 게시글에

김명의 수의사를 비방하는 댓글을 달았다. 명의동물병원을 망하게 해야 한다는 내용과 함께 김명의 수의사에 대한 원색적인 욕설도 섞였다.

김명의 수의사는 이 게시글과 댓글을 발견하고, 이동주씨와 박선동씨를 명예훼손으로 고소하였다. 이동주씨와 박선동씨는 명예훼손죄가 인정될까?

1. 이동주씨의 명예훼손 여부

명예훼손이란 [형법] 제307조에서 규정하는 범죄로서, 공연히 사실 또는 허위사실을 적시하여 타인의 명예를 훼손하는 범죄라고 정하고 있다.

이동주씨가 ㅁ동물병원이라고 표현하더라도, 그 게시글 전체를 통하여 지칭 대상을 특정할 수 있다면 특정인의 명예를 훼손한 것이 된다. 따라서 반드시 이름을 구체적으로 언급하지 않으면 명예훼손이 인정되지 않는 것은 아니다.

또한 명예는 사람에게만 인정되는 것이지만, 동물병원과 같은 기관이나 업체를 지칭하는 경우에도, 그 기관이나 업체와 관련한 사람의 명예를 훼손하게 되므로, 역시 명예훼손의 인정 여부에는 상관이 없다.

또한 이동주씨는 김명의 수의사와 관련한 사실을 있는 그대로 게시글로 적시하였으나, 실제 사실만을 적시한 경우에도 명예훼손죄가 인정될 수 있다.

다만 [형법] 제310조는 명예훼손죄와 관련하여 위법성 조각의 예외를 인정하고 있다. 모든 비방글이 명예훼손인 것이 아니라, 사실을 있는 그대로 적시하되 공공의 이익을 위해서 적시한 경우에는, 그것이 비록 타인의 명예를 훼손하는 경우라고 하더라도 위법성이 없다고 인정하는 것이다.

여기에서 공공의 이익의 범위에 대하여 판례는 광범위하게 인정하고 있는데, 우리 사회 전체의 이익뿐만 아니라, 애견동호회 같은 특정 관심집단의 이익도 공익으로 인정하고 있다. 그러므로 이동주씨의 게시글이 애견동호회의 회원들에게만 이익이 되는 경우라도 공익성은 인정된다.

그리고 이러한 위법성 조각은 적시한 내용이 진실한 사실이어야 하는데, 대법원은 2002도3570 판결 등에서, 적시한 내용 중 세부적인 부분에서는 사실과 다른 부분이 있더라도 전반적인 내용이 사실에 부합한다면 위법성 조각의 대상으로 인정하였다. 이동주씨가 순돌이의 사망 원인에 대하여 마취제 과용에 의한 호흡마비가 아닌 과다출혈이라고 잘못 기재한 부분이 있으나, 게시글의 전반적인 취지에서는 사망원인이 김명의 수의사에게 있다는 것이 주요한 내용이었다. 그러므로 사망원인에서 사실과 다른 면이 있어도 이동주씨의 게시글은 위법성 조각

의 대상이 될 수 있다.

즉, 이동주씨는 명의동물병원에서의 일에 허위의 사실을 더하지 않고 있는 그대로 적시하였고, 그 게시글을 통해 다른 보호자들은 공익을 얻었다고 인정될 수 있다. 따라서 이동주씨의 게시글은 명예훼손의 위법성이 조각된다고 보아야 한다.

2. 박선동씨의 명예훼손 여부

박선동씨는 김명의 수의사에 대한 원색적인 욕설과 함께 감정적으로 비난하는 댓글을 달았다. 일반적으로 타인을 비방하는 내용의 글은 모두 명예훼손이라고 생각하기 쉽다. 하지만 명예훼손이란 객관적인 사실을 적시하는 경우를 규정하는 것이다. 즉, 박선동씨의 댓글과 같이 어떤 사실을 설명하는 글이 아니라 단순히 격앙된 감정을 표현하는 글은 애당초 명예훼손의 대상이 되지 않는다. 그러므로 박선동씨의 댓글은 명예훼손으로는 고소할 수 없다.

그렇다고 박선동씨의 댓글이 위법하지 않은 것은 아니다. 박선동씨는 분명히 객관적인 사실 여부를 확인하지 않고 원색적인 비난의 댓글을 달았다. 이와 같이 타인에 대한 나쁜 감정을 표현한 글은 명예훼손이 아니라 모욕죄의 대상이 된다. 즉, 객관적인 사실로 타인의 명예를 훼손하면 명예훼손죄, 감정을 표현한 글로 타인의 명예를 훼손하거나 모욕하면 모욕죄인 것으

로 구분할 수 있다.

 그리고 모욕죄의 경우는 감정을 표현하는 경우이므로, 명예훼손과는 달리 공익을 위해 게시되는 경우는 생각하기 어렵다. 그러므로 명예훼손에서 인정되는 위법성 조각의 예외도 모욕죄에서는 인정하지 않는다.

20. 미성년자의 진료 위임의 효과

김명의 수의사의 명의동물병원에 어느 날 미성년자인 이동주 어린이가 다친 강아지를 데리고 왔다. 이동주 어린이는 우연히 교통사고를 당하고 죽어가는 강아지를 발견하고는 무작정 명의동물병원에 데리고 온 것이다. 이동주 어린이는 지나는 길에 강아지를 발견한 것을 설명하면서 그 강아지의 주인이 누구인지 알 수 없으나 그래도 일단 치료부터 해달라고 애원하였다. 김명의 수의사는 어린 아이의 부탁을 거절하긴 난감하였지만, 아무런 대가없이 치료를 다 해주기에는 너무 큰 수술임을 설명해주었다. 그러자 이동주 어린이는 부모님에게 말씀드려 치료비를 부담할테니 치료를 해달라고 하였고, 김명의 수의사도 이동주 어린이의 연락처만을 받고 수술을 모두 끝마쳤다. 김명의 수의사는 이동주 어린이의 아버지인 이춘부씨에게 치료비로 100만원을 청구했다. 하지만 이춘부씨는 자신은 강아지의 치료를 맡긴 일이 없으며, 아이가 강아지를 동물병원에 맡겼단 얘기를 듣고는 오히려 아이를 나무랐다면서 치료비를 지급할 수 없다고 거절했다. 김명의 수의사는 이춘부씨나 이동주 어린이에게 치료비를 청구할 수 있을까?

1. 미성년자가 치료비를 부담하겠다는 말은 법적 효과가 있을까?

 만일 강아지를 데려온 사람이 미성년자가 아닌 성인이었다면, 그 사람이 자신이 치료비를 부담하겠다는 말은 그대로 인정된다. 그 사람은 강아지의 보호자가 아니더라도 김명의 수의사에게 치료비를 부담해야 할 의무가 생기는 것이다.

 하지만 김명의 수의사에게 치료비를 부담하겠다고 나선 사람은 미성년자였던 특수한 상황이다. 미성년자인 경우는 거래행위에 제한이 따른다. [민법] 제5조 제1항은 "미성년자가 법률행위를 함에는 법정대리인의 동의를 얻어야 한다. 그러나 권리만을 얻거나 의무만을 면하는 행위는 그러하지 아니하다."라고 규정하고 있다. 그리고 제2항에서는 "전항의 규정에 위반한 행위는 취소할 수 있다."라고 규정하고 있다. 다시 말해서, 미성년자가 법정대리인인 부모의 동의를 얻지 않고 한 거래는 취소될 수 있는 것이다. 그 거래는 미성년자 스스로가 취소할 수도 있으며, 그 법정대리인인 부모가 취소할 수도 있다.

 이춘부씨는 김명의 수의사로부터 치료비를 청구받자 치료비를 지급할 수 없다며 거절하였는데, 이는 미성년자의 법정대리인이 미성년자의 거래행위에 대한 취소권을 행사한 것으로 볼 수 있다.

 그렇다면 여기서 의문이 들 수 있다. 미성년자가 마음대로 거

래를 한 후 그 거래를 취소할 수 있다면, 이는 상식상 불합리하며 그 미성년자를 믿은 상대방은 선의의 피해를 입을 수 있기 때문이다. 이에 대하여 대법원은 2005다71659 판결 등에서, 미성년자를 보호하는 법률의 취지는 거래안전을 희생시키더라도 미성년자를 보호하겠다는 것이며, 거래의 상대방이 미성년자가 그 거래를 취소하지 않을 것으로 믿은 것이 정당한 것인지 의문일 뿐만 아니라, 신의에 반한다는 이유로 취소를 제한하는 것은 미성년자 제도의 입법 취지를 몰각시킨다는 이유로, 거래를 취소할 수 있다고 판시하였다.

다만 미성년자도 법정대리인의 동의가 있으면 거래를 할 수 있고, 사후적으로도 법정대리인의 추인도 가능한데, 법정대리인의 동의나 추인은 묵시적인 경우도 인정된다. 가령 이춘부씨가 이동주 어린이가 명의동물병원에 진료를 맡긴 사실을 알고도 오래동안 아무런 이의를 제기하지 않았다면 이는 묵시적 추인으로 인정될 것이고, 이춘부씨는 진료비 지급을 거부할 수 없을 것이다.

2. 미성년자와의 거래가 취소된 경우의 효과

거래가 취소되면 그 거래는 당초부터 존재하지 않았던 것으로 취급한다. 그리고 거래의 당사자들은 그 거래로 인하여 각자가 얻은 이득을 부당이득으로서 반환하여야 한다. 그 거래로 자신

이 얻은 이익을 반환함으로써 그 거래가 당초에 없었던 것과 마찬가지의 상태로 되돌리는 것이다.

 동물 진료와 관련하여 진료계약이 취소되더라도 실질적으로 큰 차이가 없는 경우가 대부분일 것이다. 자신의 동물에 대해 진료를 맡겼다면 진료계약이 취소되더라도 그 동물의 보호자는 진료를 받은만큼 부당이득을 한 것이므로 부당이득반환으로서 진료비 상당의 금액을 지급해야 하기 때문이다.

 그런데 이동주 어린이가 맡긴 강아지는 자신의 강아지가 아니었다. 이러한 경우는 김명의 수의사는 이춘부씨에게 강아지의 치료비 상당을 부당이득반환으로서 청구할 수 있을까? 문제는 이춘부씨나 이동주 어린이는 강아지의 치료로 인해서 얻은 이익이 없다는 것이다. 강아지의 치료로 이익을 얻는 자는 강아지의 소유주이며 이춘부씨나 이동주 어린이가 아니다. 이동주 어린이가 강아지를 맡길 때부터 자신은 강아지의 주인은 아니라는 점도 명확히 밝혔다. 그러므로 김명의 수의사는 이춘부씨에게 강아지의 치료로 얻은 부당이득을 반환하라고 할 수 없다.

21. 동물병원 운영과 관련한 기만행위의 제재

김명의 수의사는 한국대학교 수의학과를 졸업하고 명의동물병원을 개원하였다. 하지만 예상보다 동물병원 운영이 지지부진하자 조바심이 일기 시작했다. 다른 동물병원을 살펴보니 박사학위를 취득한 수의사들도 많았고, 최신 의료장비를 홍보하는 동물병원도 많았다. 김명의 수의사는 명의동물병원 홈페이지에, 병원에 없는 모바일 CT나 C-Arm 엑스레이 장비 등을 갖춘 것처럼 동물병원 소개 페이지를 만들었다. 또한 수의학 학사만을 취득하였으나, 한국대학교에서 박사학위를 취득한 것처럼 학위증을 제작하여 병원 대기실에 게시하였다.

명의동물병원 홈페이지를 보고 이동주씨는 반려견 순돌이를 데리고 내원하였다. 순돌이는 호흡곤란, 빈맥 등의 증상을 보였고, 엑스레이 검사상 횡경막 허니아로 진단되었다. 이동주씨는 몇 개월 전 순돌이가 교통사고를 당한 일이 있다고 얘기했다. 김명의 수의사는 순돌이의 교정 수술을 권유하였다. 하지만 이동주씨가 수술을 주저하는 모습을 보이자 김명의 수의사는 이동주씨가 수술을 결심하도록 유도하기 위해, 외상 후 장기간이 소요된 경우 수술 후 흉강 변위

로 사망할 가능성이 높아진다는 점은 얘기하지 않은 채 수술을 하면 순돌이가 완치될 수 있다고만 장담하였다. 이에 이동주씨도 수술에 동의하였으나, 순돌이는 수술 직후 사망하고 말았다. 이동주씨는 농림축산식품부와 경찰에 김명의 수의사를 처벌해달라고 신고하였다.

김명의 수의사는 실재하지 않는 의료장비를 갖춘 것처럼 홈페이지에 홍보하였고, 허위의 박사학위 학위증을 게시하였다.

수술 후 순돌이가 사망하였는데, 횡경막 허니아에서 수술 후 환자가 돌연사하는 경우는 충분히 가능한 일이며, 순돌이와 같이 외상 후 장기간이 지난 경우는 흉강변위에 의한 사망 가능성은 더 높은 것으로 알려져 있다. 따라서 순돌이가 사망하였다는 것이 곧 김명의 수의사의 의료과실이라고 할 수는 없으며, 김명의 수의사에게 문제되는 부분은 이동주씨로 하여금 수술을 결정하게 하기 위해 수술 전 순돌이의 사망 가능성을 고의적으로 언급하지 않은 점이다.

1. 허위의 의료장비 홍보

김명의 수의사가 허위의 의료장비를 갖춘 것처럼 홈페이지에

게시한 것은 허위광고에 해당한다. 허위광고를 하는 것이 잘못이라는 것은 당연한 상식이다. 그런데 수의사가 허위광고를 하는 경우의 특별 규정은 없을까?

[수의사법] 제32조 제2항은 "농림축산식품부장관은 수의사가 다음 각 호의 어느 하나에 해당하면 1년 이내의 기간을 정하여 농림축산식품부령으로 정하는 바에 따라 면허의 효력을 정지시킬 수 있다."라고 규정하면서, 수의사가 동물 진료와 관련하여 기만적인 행위를 하는 경우를 제재하고 있다. 그리고 하위법령인 [수의사법 시행규칙] 제20조의2 제3호는 구체적으로 '허위광고 또는 과대광고 행위'를 제재 대상으로 규정하고 있다.
 따라서 김명의 수의사의 허위 의료장비 홍보는 허위광고로서 1년 이내의 면허정지 사유에 해당한다.

 또한 대법원은 2001도5789 판결 등에서, 거래에 있어서 중요한 사항에 관한 구체적 사실을 신의성실의 의무를 넘어 광고한 경우는 허위광고의 한계를 넘어 사기죄에 해당한다고 판시하였다.
 의료장비는 의료서비스의 질을 결정하는 중요한 사항인데, 이에 대해 구체적으로 C-Arm 엑스레이 등을 갖추었다고 광고한 것은 허위광고의 한계를 넘는 일이라고 하겠다. 그러므로 위 대법원 판례의 입장에 따를 때 김명의 수의사의 허위 의료장비 홍보는 사기죄에 해당할 수 있다.

2. 학위에 대한 허위 공표

 허위의 학위증을 게시한 행위는 허위광고에도 해당하지만 [수의사법]은 학위를 허위로 공표한 경우에 대하여 별도로 규정하고 있다. 위 [수의사법] 제32조 제2항 제5호는 면허정지 사유로서 "학위 수여 사실을 거짓으로 공표하였을 때"를 별도로 규정하고 있는 것이다. 이는 학위는 수의사의 역량과 관련한 사항이므로 특별히 별도 규정을 둔 것이라 하겠다.
 김명의 수의사가 박사학위증을 게시한 것은 학위 수여 사실을 거짓으로 공표한 것에 해당하므로 역시 최대 1년 이내의 면허정지 처분 대상이 된다.

 허위의 학위증을 게시한 행위 역시 위에서 본 바와 같이 허위광고의 한계를 넘는 일이라 할 것이므로 이 역시 사기에 해당할 수 있다.
 그리고 [형법] 제231조는 사실증명에 관한 문서 등을 위조 또는 변조한 경우를 사문서위조죄로 처벌하고 있다. 학위증은 김명의 수의사가 박사학위를 받았음을 증명하는 문서로서 이를 임의로 제작한 것은 사문서위조죄에 해당한다. [형법] 제236조는 위조한 문서를 실제 사용한 경우도 별도의 죄로 규정하고 있는바, 김명의 수의사가 허위의 학위증을 게시한 행위도 별도로 위조사문서행사죄가 된다.

3. 불명확한 예후의 불고지

[수의사법] 제13조의2는 수의사는 수술 등 중대진료를 하기 전 수술의 필요성, 방법, 예상되는 후유증 등을 설명해야 할 설명의무를 규정하고 있다. 그리고 설명의무를 이행하지 않는 경우는 100만원 이하의 과태료가 부과된다.

그런데 [수의사법] 제32조 제2항은 동물병원 운영과 관련한 부적절한 행위로서의 면허정지 사유를 규정하면서, 구체적으로 [수의사법 시행규칙] 제23조 제2호에서 "예후가 불명확한 수술 및 처치 등을 할 때 그 위험성 및 비용을 알리지 아니하고 이를 하는 행위"를 명시하고 있다.

보호자에게 수술에 대한 설명을 하지 않은 것은 동일하지만, [수의사법] 제13조의2는 단순히 설명의무를 누락한 경우에 관한 것인 반면, [수의사법 시행규칙] 제23조 제2호는 기만적으로 설명의무를 위반한 경우에 관한 것이라 하겠다.

김명의 수의사는 순돌이가 사망 가능성이 충분히 있으나 이동주씨로 하여금 수술결정을 하게 하기 위해 허니아 수술의 위험을 고지하지 않았고 수술만 하면 완치될 수 있다고 장담하였다. 이러한 경우는 위 [수의사법] 제32조 제2항이 적용될 수 있다.

22. 경쟁 동물병원의 무료진료

이유인 수의사는 A시에서 산업동물을 대상으로 유인동물병원을 운영하고 있다. 그러던 중 김명의 수의사도 A시에 명의동물병원을 개설하고 산업동물 진료를 시작하였다. 김명의 수의사는 농장들을 방문하며 새로 동물병원을 개원하였고, 질높은 진료를 제공하겠다고 홍보하였다. 하지만 아무리 홍보를 하여도 명의동물병원을 이용하는 농장주들은 좀처럼 늘지 않았다.

그러던 중 이유인 수의사가 농장주들에게 거세술을 무료로 제공해주는 것을 알게 되었다. 김명의 수의사가 새로 A시에서 개원을 하자, 위기감을 느낀 이유인 수의사는 김명의 수의사를 배제시키기 위해 무료 거세술을 제공하는 것이었다. 이유인 수의사는 그간 A시의 농장주들과 두터운 인맥을 쌓고 있어서 거세술을 무료로 제공하더라도 다른 진료로 운영이 가능하였고, 기존에 유인동물병원을 안정화시켜놓았으므로 무료 거세술이 일정한 손해가 나더라도 감수할 수 있었다. 반면 김명의 수의사는 기반이 없어서 무작정 무료진료를 해줄 수는 없는 상황이었다.

김명의 수의사는 이유인 수의사에게 항의하였으나, 이유인

> 수의사는 [수의사법]을 모두 확인해 보았으나 잘못된 것이
> 없다며 앞으로도 거세술을 무료로 제공할 것임을 고집하였
> 다.

수의사의 진료와 관련한 분쟁이 발생한 경우는 [수의사법]에 위반되는 것은 아닌지부터 검토할 것이다. 이유인 수의사는 무료로 거세술을 제공하여 농장주들을 유치하였는데, 이유인 수의사의 행위가 [수의사법]이나 다른 법령에 어긋나는 것은 아닌지 문제된다.

1. 수의사법상 유인행위 여부

[수의사법 시행령] 제20조의2 제5호는 "다른 동물병원을 이용하려는 동물의 소유자 또는 관리자를 자신이 종사하거나 개설한 동물병원으로 유인하거나 유인하게 하는 행위"를 1년 이내의 면허효력 정지 사유로 지정하고 있다.

이유인 수의사는 무료 거세술을 제공함으로써 명의동물병원을 이용하려는 소유자를 유인한 것으로 볼 여지가 있다. 하지만 유인동물병원을 이용한 농장주들이 명의동물병원을 이용하려던 자로 보기에는 객관적인 자료가 없다. 가령, 유인동물병원의 기

존 진료에 만족하였으니 계속하여 이용할 수 있으며, 새로운 명의동물병원을 불신하여 유인동물병원을 이용할 수도 있는 것이다. [수의사법 시행령]의 규정이 적용되기 위해서는 적어도 농장주가 명의동물병원을 이용하겠다는 의사를 객관적으로 나타낸 상태에서 유인행위가 있어야 하므로, [수의사법 시행령]에 의해 이유인 수의사의 행위를 규제하기는 현실적으로 어려움이 있다.

2. 공정거래법 위반 여부

이유인 수의사의 행위는 [수의사법]에는 위반되기는 어려우나, 수의사의 진료행위가 [수의사법]만 적용되는 것은 아니다. [독점규제 및 공정거래에 관한 법률(공정거래법)] 제45조는 불공정거래행위의 내용을 구체적으로 정하여 제재하고 있다.

[공정거래법]은 유인행위가 아니더라도 부당하게 경쟁자를 배제하는 행위도 불공정거래행위로 규정하고 있고, [공정거래법 시행령] 제52조는 이러한 부당한 경쟁자 배제행위의 유형을 더욱 구체적으로 정하고 있다.

위 규정은 용역을 공급하는 데 있어서 타당한 이유없이 용역 공급에 소요되는 비용보다 현저히 낮은 대가로 해당 용역을 계속하여 공급함으로써 경쟁자를 배제시킬 우려가 있는 행위를 '부당염매' 행위로 정의한다.

이유인 수의사가 거세술을 하기 위해서는 최소한의 비용이 들

수밖에 없음에도 불구하고, 거세술이라는 용역을 무료로 제공하고 있다. 이는 비용보다 현저히 낮은 대가로 용역을 공급하고 있는 것이다.

다만 이유인 수의사의 이러한 무료 거세술 공급이 '부당하게' 공급하는 것인지, 그리고 '계속하여' 공급하는 것인지 여부가 문제된다. 대법원은 99두4686 판결에서, '부당염매' 행위를 규정한 취지가 시장지배적 지위의 사업자가 경쟁자를 배제하는 것을 방지하기 위한 취지이므로 부당성이 있어야 한다고 하였기 때문이다. 그리고 일반적으로 파격 할인행사를 주위에서 많이 볼 수 있는데, 이는 '계속적으로' 할인을 하는 것이 아니라서 '부당염매'에 해당하지 않는 경우가 많다.

그런데 이유인 수의사는 이미 A시에서 기반을 잡은 상태이기 때문에 무료 거세술이 가능하였고, 앞으로도 무료 거세술을 제공하겠다는 점도 밝혔다. 그러므로 이는 이유인 수의사가 부당한 부당염매 행위를 계속적으로 제공하는 경우에 해당한다.

또한 [공정거래법]은 이 외에도 자기 또는 계열회사의 경쟁사업자를 배제시킬 우려도 요건으로 두고 있다. 계속성을 갖는 낮은 가격의 서비스라도 경쟁자를 배제시키지 않는 방식이면 수요자들에게는 이익이 될 것이므로, [공정거래법]상의 제재 대상이 되기 위해서는 경쟁자의 배제 우려도 필요한 것이다. 그런데 이유인 수의사는 농장주들이 명의동물병원을 이용하는 것을 막는 것이 무료 거세술의 목적이었다. 그러므로 경쟁자의 배제 우려는 인정된다.

이와 같이 이유인 수의사의 무료 거세술은 (1) 소요되는 비용보다 낮은 대가 또는 부당하게 낮은 대가로 용역을 공급하는 행위이며, (2) 계속하여 용역을 공급하는 행위이고, (3) 경쟁자를 배제할 우려가 있는 행위이다. 그러므로 이는 [수의사법]에는 위반되지 않을지라도 [공정거래법]에는 위반될 수 있다.

3. 김명의 수의사의 대처 방법

김명의 수의사는 민사상 이유인 수의사를 상대로 손해배상을 청구할 수 있다.

그런데 [공정거래법]상 김명의 수의사가 형사상의 고소인이 될 수는 없고 공정거래위원회가 고발을 하여 검찰이 기소를 해야 한다. 그러므로 김명의 수의사는 직접 고소를 하는 것이 아니라 이유인 수의사의 부당염매 행위에 대해 공정거래위원회에 신고하는 절차를 취하는 것이고 공정거래위원회에서 고발 여부를 판단하게 된다.

KB082224